JN001839

日本はデジタル先進国になれるのか？

知られざる諸外国のDXの真実と、デジタル庁の舞台裏

衆議院議員・第2代デジタル大臣
牧島かれん

日経BP

日本は
デジタル先進国に
なれるのか？

まえがき

「日本のデジタル化って遅れているんでしょう?」　これまで本当によく耳にしてきた言葉だ。

「デジタル庁」が2021年9月1日に発足。直後の同年10月4日から2022年8月10日まで、311日間、2代目デジタル大臣を全うした。初代の平井卓也デジタル大臣の後を受け、第3代の河野太郎デジタル大臣に引き継ぐまでの間、国会での質問に答え、記者会見を開き、講演の依頼や取材を受け、「デジタル社会」について、「デジタル庁」について対話を続けてきたつもりだ。それでもなお、認識のギャップや誤解とも呼べるものが残っていることは否めない。

なぜ「日本のデジタル化が遅れている」と思われてしまっているのか。何が課題で、どこと比べて劣っているのか、おそらく明確に答えられる人は少ないはずだ。こんなイメージが染みついてしまっている理由の一つに、「何となくだけど、日本ってダメだよね」という諦めに似た日本人の思いがあるのではないだろうか。本当にそうなのか、データやエビデンスに基づいて分析を行い、その上で足りないものを把握し、これからのアクションに結びつけていくことが大事だろう。

今回、デジタル大臣として任期中に語り尽くせなかったこと、立場上踏み込めなかったこと、当時感じていた疑問も含めて書籍に記すことにした。

本書はデジタル庁へのエールでもあり、日本がデジタル社会を進めていくための、みんなで一緒に歌う応援歌でもある。

「デジタル庁が立ち上がった瞬間に社会が抜本的に変わると信じていたのに」という方には、2025年のビジョンをお届けしたい。法律が作られ、成立し、そして施行され、社会に浸透するには2~3年の時間がかかる。システム開発の時間も必要だ。事前予告をした上で、何十年も使ってきた仕組みやレガシーに別れを告げてもらうことになる。目指すべき道筋を示し、デジタル庁は既にフルスロットルで動いている。

デジタル庁では政策報告のみならず、あらゆる会議資料を公表している。推進会議、構想会議、ワーキンググループ、委員会、幹事会、調査会、作業部会、検討チーム、関係府省庁会議、検討会、プロジェクトチーム、研究会などなど、多種多様な議題をカバーする会議が開かれているが、それらの議論を全てフォローするのは難しいと思う。この一冊で全ては網羅できないが、その大事なエッセンスをお届けすることで、FAQに答えていければと思っている。

まずは、「デジタル庁」について成り立ちや役割を整理していこう。

はじめに

「デジタル庁」というカタカナ省庁が鳴り物入りでできた印象が強いためか、突貫工事で立ち上がったと誤解されている方もいるかもしれない。実は、結構地道に下準備をして庁として立ち上がったのだ。それでは、デジタル庁の成り立ちについて説明していこう。

前身は「IT室」。そして「IT担当大臣」がいて、「デジタル手続法」の成立を実現させた。通称「デジ手法（デジテホウ）」。２０１９年5月に公布、同年12月に施行された「情報通信技術の活用による行政手続等に係る関係者の利便性の向上並びに行政運営の簡素化及び効率化を図るための行政手続等における情報通信の技術の利用に関する法律等の一部を改正する法律」が正式名称である。

このとき担当していたのが初代の平井大臣で、自民党を代表して内閣委員会で質問したのが私だった。余談だが、「デジタル手続法」の審議なのに、委員会でのやりとりが「紙」なのはそぐわないのではないか、ということで、質疑者（私）も答弁者（平井大臣）も委員長（牧原秀樹衆議院議員）もタブレット端末を活用した最初のケースとなった。しかし、これは与党の時間のみの「試験的なもの」という位置付けであった。

その後、２０２０年11月に衆議院の議院運営委員会の理事会でタブレットの使用が認められることとなった。しかし、ここには条件がついている。本会議では認められず、委員会審議に限ること。通信を切ること。理事会で与野党が許可すること。各委員会で方針が違ってもよい。内閣委員会や経済産業委員会では質疑者も答弁者もタブレットを使用してよいので、私がデジタル大臣だった当時はタブレットで答弁をしていた。

ちなみに、参議院では通信を切るという条件はついておらず、登録すると、秘書官の端末持ち込みも認められている。さらに付言しておけば、こうしたルールは各委員会、立法府である国会で決めることであり、行政府であるデジタル庁の判断ではない。なお、衆議院予算委員会ではタブレットの使用実績がなかったが、私が質疑者として使用を希望し、理事会の許可を得て２０２２年10月17日、タブレットでの質問を行い、ＮＨＫで中継された。これが衆議院予算委員会でタブレットが使われた初の事例となった。原稿用紙にペンで質問を書いている議員はもうほとんどいないはずだ。質問を事前に通告するときにもファクスではなくメール、各府省庁との質問レクもオンライン、２日前までには質問を送ることで霞が関の働き方改革を改善する、これを標準にしたいと考えている。

「デジ手法」では、「デジタル化の基本原則」として、「デジタルファースト」「ワンスオンリー」「コネクテッド・ワンストップ」を掲げている。個々の手続き・サービスが一貫して

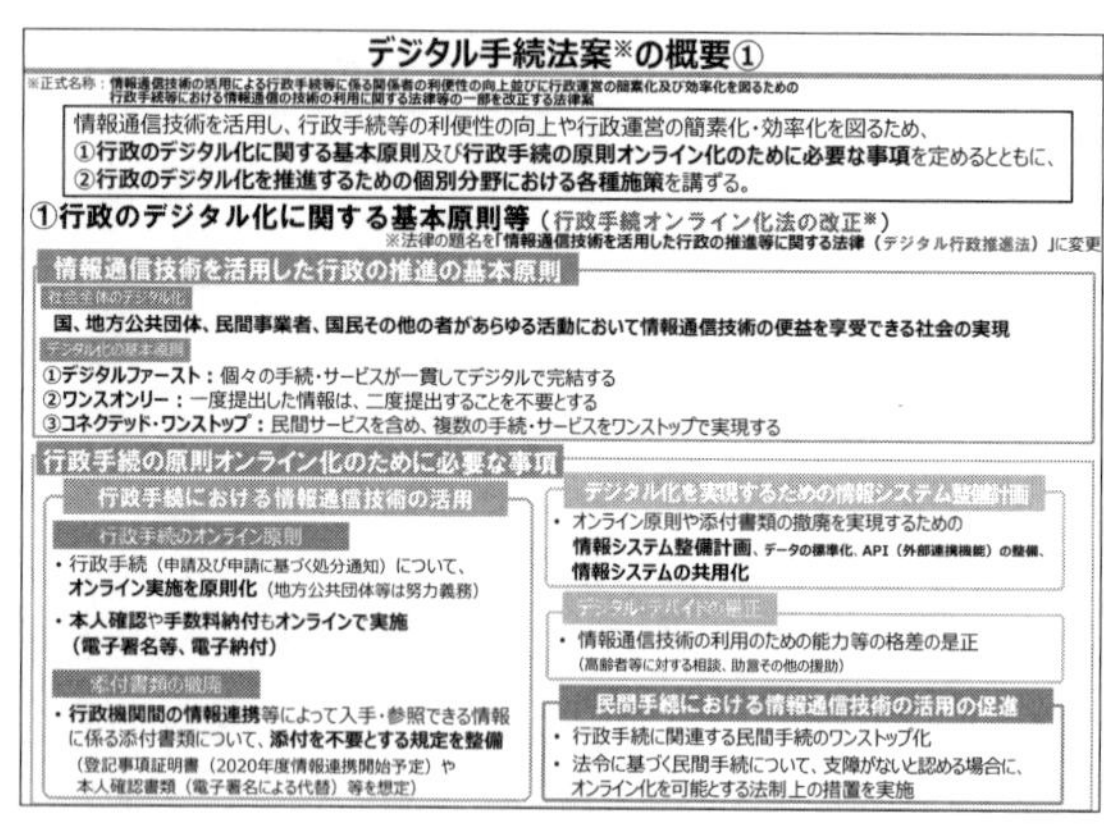

デジタル手続法案の概要 内閣官房
https://www.cas.go.jp/jp/houan/190315/siryou1.pdf

デジタルで完結する、一度出した情報は二度提出することを不要とする、民間サービスを含め、複数の手続き・サービスをワンストップで実現する、社会全体のデジタル化を目指す姿を基本原則とする法律として、２０１９年に通した。

「ＩＴ」が「デジタル」に置き換わる前からＩＴ系施策を引っ張ってきた部署がある。それが自民党の政務調査会に設置された「ｅＪａｐａｎ特命委員会」である。

ｅＪａｐａｎ特命委員会が自民党に設置されたのが２００１年。以来20年デジタル政策を牽引してきたのが、自民党デジタル社会推進本部である（委員会の名称は変遷がある）。２０１０年から取りまとめてきた「ＤＮ（デジタル・ニッポン）」は政府への提言書として

政治は国民のもの
自民党

デジタライゼーション政策に関する提言

デジタル・ニッポン2020
〜コロナ時代のデジタル田園都市国家構想〜

令和2年6月11日
自由民主党政務調査会
デジタル社会推進特別委員会

自民党で毎年取りまとめる「デジタル・ニッポン」には、デジタル施策の方向性が示されている

毎年、総理、官房長官、大臣へと届けられてきた。

　平井本部長をヘッドに事務局長を務めてきた私が２０２０年にまとめたのが、「デジタル・ニッポン２０２０〜コロナ時代のデジタル田園都市国家構想〜」である。これらの提言は未来予想図の役割を果たしている。

　まず、デジタル田園都市国家構想（通称「デジ田」）の構想は既にここからスタートしている。デジタル技術によって働き方が柔軟になり、どこにいても国民の生活の質は高く維持される「デジタル田園都市国家」が今後の目指すべき国家像となるのではないだろうか、と提言した。さらに、「２００１年に施行された、いわゆる『IT基本法』を『デジタル推

2010年以降の「デジタル・ニッポン」の流れ

2010年よりIT政策提言デジタル・ニッポン
●2010年　新ICT戦略
●2011年　絆バージョン、復興、そして成長へ
●2012年　政権復帰
●2013年　ICTで日本を取り戻す
●2014年　2020年世界最先端国家の具体像
●2015年　IoT・マイナンバー時代のIT国家像とパブリックセーフティ
●2016年　最新テクノロジーの社会実装による世界最先端IT国家像
●2017年　データ立国による知識社会への革新
●2018年　2030年の近未来政府
●2019年　インクルーシブなデジタル社会

2020年新型コロナウイルス(COVID-19)パンデミック

デジタル・ニッポン2020
コロナ時代のデジタル田園都市国家構想

「デジタル・ニッポン2020」

進法』にすべきだ」と記し、後に法整備を実現している。そして一番重要なのは「電子政府先進国と比較すると課題があるので、行政の縦割りに横串を通し、社会全体のDX（デジタル・トランスフォーメーション）を推進するための『DX組織（庁／省）』を設置すべきだ」と提言したことである。

このように過去を振り返ったのも、「誰一人取り残されない」というコンセプトや「UI／UX」「データ戦略」「アジャイル」「マイナンバー制度」など、後に具現化される施策を積み上げながら、デジタル庁の設置に向けて準備を進めてきたことを伝えたかったからである。

ユーザーがサービスを通じて得られる体験

が使いやすいといった実感につながるものであるように、データ駆動型社会を支える戦略を構築できるように、前例踏襲主義にとらわれない自由な発想で政策を作れるように、そして「私が私であること」の証しが定着し、行政、社会のコスト削減につながるように、様々な思いをデジタル庁誕生に込めて準備を進めてきた。

そして、いよいよ2021年度に制作した「デジタル・ニッポン」は、デジタル庁設置を念頭に具体的イメージの提案を行った。副題は「アンリミテッド2021～日本の現場力をデジタルで底上げ～（日本の底力はこんなものではない！）」とした。コロナ禍で萎んでいた経済活動にデジタルで活力を取り戻すことを意識したものである。地方や中小企業ではまだDXに取り組む機運がいまいち盛り上がってこなかった現状を、コロナをきっかけに変えていこう、という意気込みを示したものでもある。そしてこの「デジタル・ニッポン」ではついに「アジャイル・ガバナンス」「強力なデジタル臨調の設置」「デジタル法制局機能の創設」を明示し、「デジタル臨時行政調査会（通称：デジ臨）」の骨格を提示した。アナログ規制を一掃し、デジタルに置き換えていこうとするものである。

2020年、2021年と共に事務局を担っていたのが、小林史明衆議院議員と山田太郎参議院議員である。15本分の解説動画も作成するなど、デジタル庁の礎作りは既にここから始まっていた。

デジタルの政策立案には、期数の若い議員も積極的に登用されてきた歴史がある

私たち3人が揃ってデジタル庁に入っていくことになるとは、当時全く予想していなかったわけだが、小林史明副大臣と山田太郎大臣政務官と私の3政務は、自分たちが作り上げてきたコンセプトであるデジタル庁に2代目として参画することとなったのである。デジ庁の基礎を固める大事な時期に最強のチームで臨めたことを、私は誇りに思っている。

デジタル庁の誕生の軌跡をおさらいしてきたが、デジタルガバメントの形は、実のところ国それぞれである。IT系企業の存在感がグローバルにも大きいアメリカでも、政府におけるデジタル部門が大きいわけではない。日本のデジタル庁のカウンターパートは米国デジタルサービス（USDS）だが、デジ庁約

左が小林史明副大臣、右が山田太郎大臣政務官

７５０人に比べてＵＳＤＳは約２００人。当然そのミッションも他の省庁と協働してアセスメントやレコメンデーションを作る、といった業務に特化することとなり、プロジェクトを組成して展開することが主な役割であって、デジタル庁のように政策的意思決定からシステムの開発・調達・運用といった手を動かす部分までやっているわけではない。

次ページの各国比較の表を見ていただければ一目瞭然。日本のデジタル庁の権限は他国に比べて広いのである。２０２２年７月のワシントン訪問で一番印象的だったのは「アメリカにもデジタル大臣がいてくれたらいいのに。日本が羨ましいよ」という言葉だった。「アメリカで、デジタル大臣は誰？と聞けば、そ

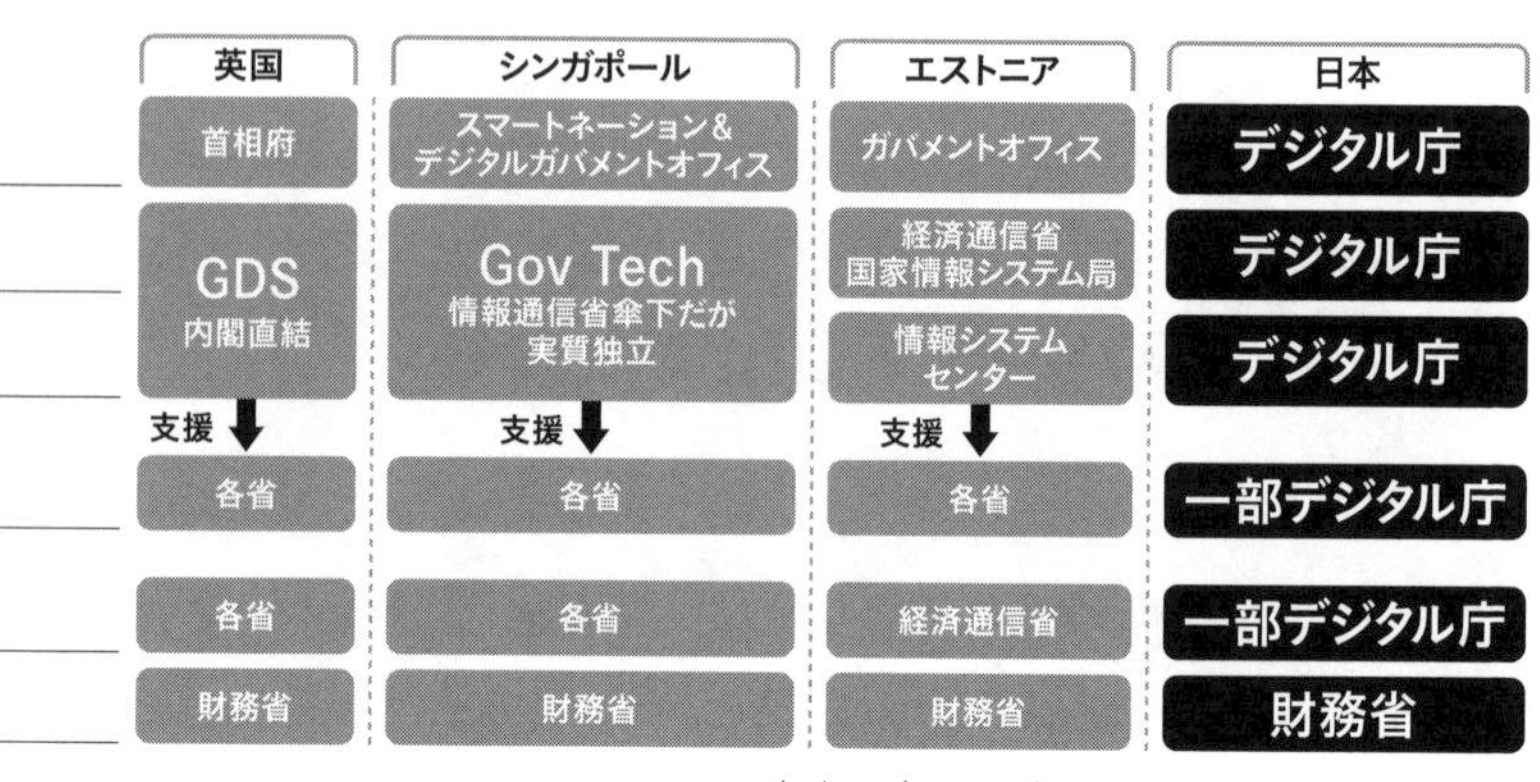

当時のデジタル庁設置準備室の資料を基に作成

れは自分だ、といろいろな人が手を挙げるだろう。つまり長期ビジョンを持って司令塔機能を発揮しているデジタル庁のような部署は、残念ながらアメリカにはないんだ」という声だったのだ。アメリカが一番デジタルが進んでいる、と思っている人が多いのではないだろうか。

確かに、GAFAM（グーグル・アップル・フェイスブック〈現メタ〉・アマゾン・マイクロソフト）やシリコンバレーに象徴されるような企業、人材という面では強みがある。しかし、いざ政府の機能としての「デジタルガバメント」となると、苦労が多い。

日本もコロナ禍で国と地方自治体の役割と責任がわかりづらい、という指摘がよく聞か

海外のデジタルガバメント事例

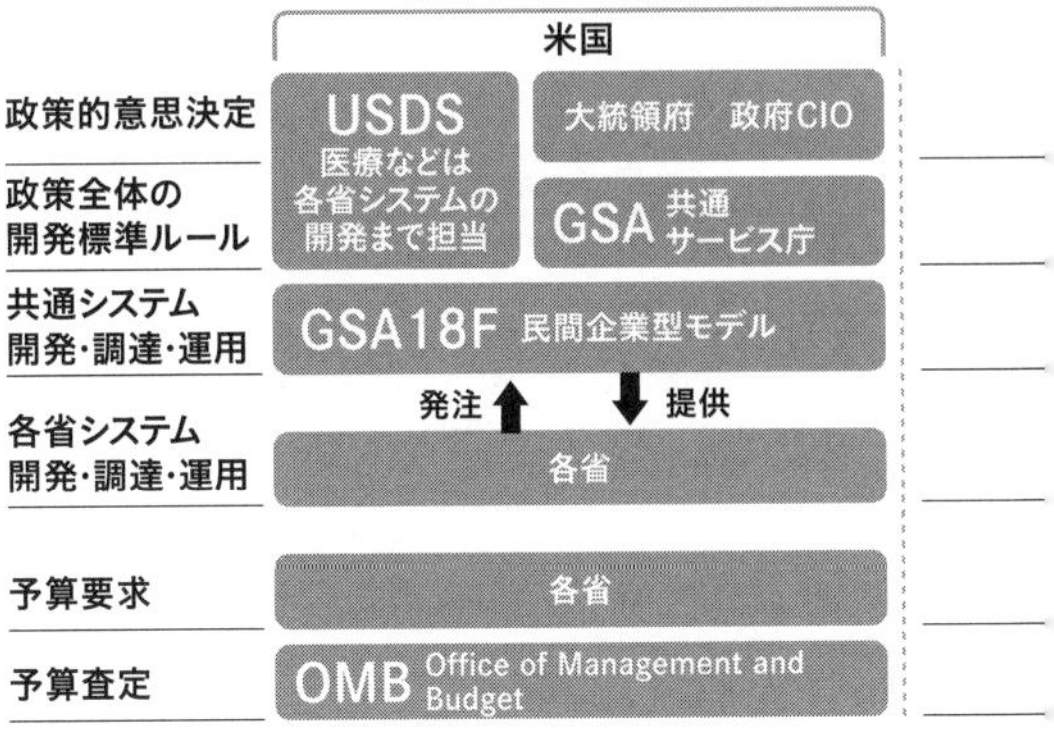

	米国	
政策的意思決定	USDS 医療などは各省システムの開発まで担当	大統領府／政府CIO
政策全体の開発標準ルール		GSA 共通サービス庁
共通システム開発・調達・運用	GSA18F 民間企業型モデル	
	発注↑ ↓提供	
各省システム開発・調達・運用	各省	
予算要求	各省	
予算査定	OMB Office of Management and Budget	

れた。医療機関、保健所、基礎自治体、都道府県、国、と情報をどのように正確に迅速に共有できるのか、その方法にも改善が重ねられてきた。州の権限が大きいアメリカであれば、なおのこと。コロナ禍の医療データへの対応は悩みの種。「データの標準化をしなければならないことは分かっているけれど、州政府との関係を考えると、『包括的データ戦略』を構築するのは至難の業」という本音も漏れ聞こえてきた。日本にはVRS（ワクチン接種記録システム）があり、だからこそ2021年12月に公開した「新型コロナワクチン接種証明書アプリ」もスムーズに運用できた。各自治体がデジタル庁が調達したシステムを共同で利用する形を取った策であった。こうした工夫が参考になれば、と米国出張時に紹介した。

接種証明書アプリはリリースから約1年の2022年12月には累計のダウンロード件数

アメリカを代表するシンクタンクの1つであるウィルソンセンターで、デジタル庁などについて講演

は1100万件を超え、証明書取得件数は1600万件を超えた。アプリ評価はクチコミでも高い評価をいただいたが、実際にiOSで3.6、Androidで4.0という数字となって現れた。さらに、海外渡航に対応できるよう、国際機関などが定める複数のフォーマットにも対応したことも大きな特徴である。

さらに、スピーディーに提供することを重視し、アジャイルでアップデートをしたこともこだわりのポイントである。スマホに入っているアプリはバグが見つかれば改善され、常に使いやすさを目指して更新されるもの。そこに民間と行政の違いはないはず。200%の完璧を目指して研究開発に時間をかけているうちにサービス・リリースのタイミングを逸した、という事態は避ける必要がある。だ

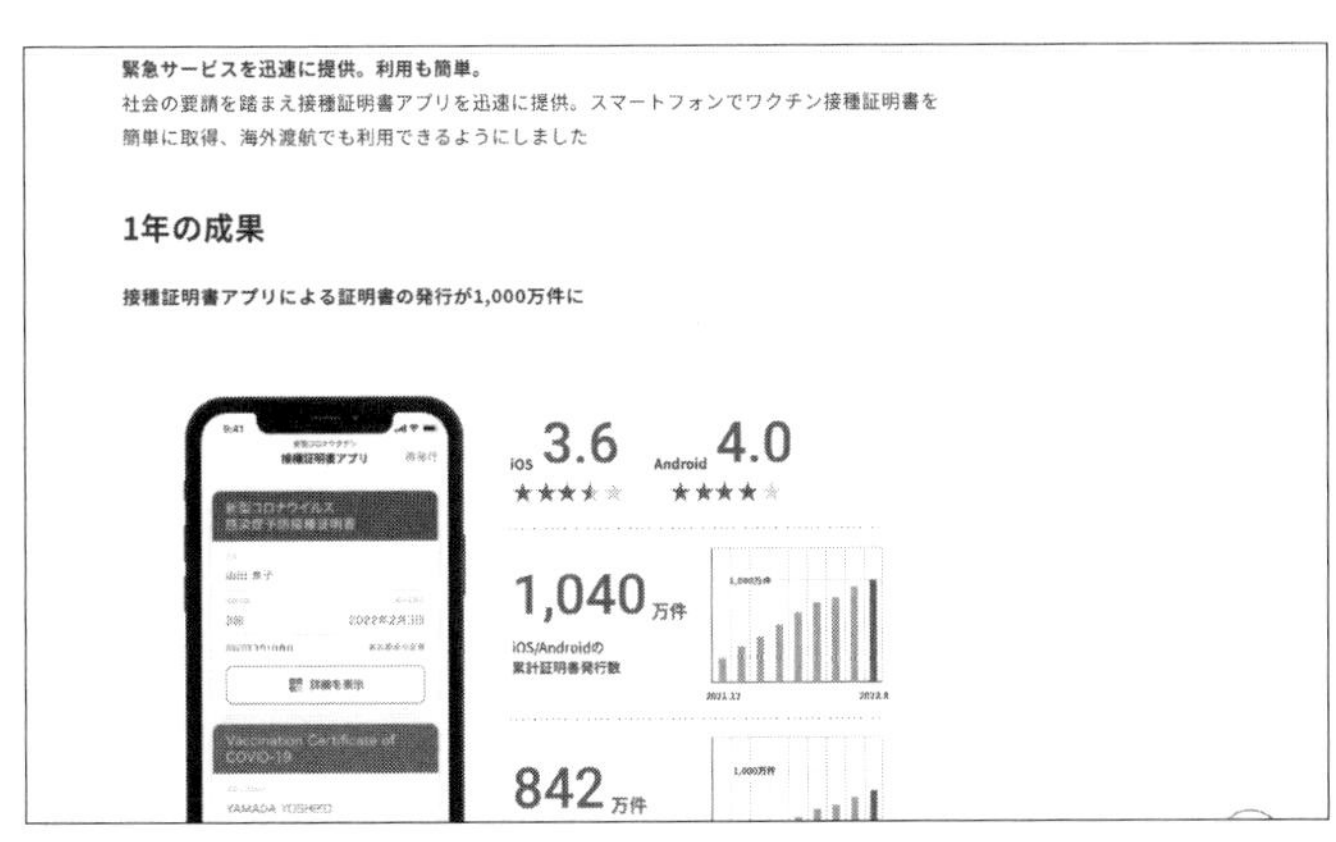

「新型コロナワクチン接種証明書アプリ」はアジャイルの成功例でもあり、高い評価を得た

から、アジャイルこそが正解という強い意志がそこにはあった。

もう一つ、デジタルガバメントの試行錯誤の事例を挙げよう。Ｇ７デジタル大臣会合でドイツ・デュッセルドルフに滞在中、現地メディアの取材を受けた。ドイツの最大の経済新聞とされる「ハンデルスブラット」紙がつけた見出しは“Wie Japan seine Verwaltung digitalisiert? Vorbild fur Deutschland?”（日本はどのように行政をデジタル化するか－ドイツの手本となるか？）というものであった。

行政コストを減らすためにデジタル化がいかに貢献できるのか、にドイツの関心事はあった。自治体のデジタルインフラが統一されていないことが、ドイツでもオンライン行政への移行のハードルになっていたからだ。マイナンバーカードと保険証の一体化、マイナンバーカードのチップ部分を公立図書館のカードとして活用している自治体の取り組み、マイナンバーカードの機能が携帯電話に搭載されることなども質問を受けて説明をした。この取材からも、ドイツがデジタル社会をいかに進めていくべきか、多くの国から学びたい、という気持ちが伝わってきた。人口規模が大きく、経済力もあることで多様なステークホルダーとの調整が求められるG7諸国は、皆同様の悩みを抱えながらデジタル化を進めようとしている。印象ベースで「日本って遅れているよね」と思い込むのではなく、きちんと整理しながら考えていこう。

本書では、デジタル庁の役割やデジタル施策の方向性について、国際比較も交えながら紹介していく。企業や団体などでDX（デジタル・トランスフォーメーション）部門に関わっている方、中小企業や小規模事業者でこれからDXに取り組もうとしている方にも読んでいただければと思いながら執筆を進めた。さらに、デジタルを活用して課題解決に取り組んでいる多様なバックグラウンドを持つ人々、学生を含む幅広い世代の人々にとって少しでも参考になれば幸いである。

日本は日本の統治システムの中で、国民のコンセンサスを取りながら進めていくことになる。今この瞬間もあらゆる地道な作業が行われている。どうしたらできるのか、なぜできないのか、幅広い視点で捉え、自分ゴトとして一緒に考え、行動してほしい。

目次

まえがき …… 2
はじめに …… 4

第1章 デジ庁を叩いて得をする人はいるのか …… 23
デジタル庁のミッション・ビジョン・バリュー
デジ庁は官民融合の〝イスタンブール〟

第2章 日本のデジタル化の現在地 …… 47
デジタル最強小国・エストニアの現実
エストニアと日本を比べてみると
IMD「世界デジタル競争力ランキング」で見てみると

日本が1位になった項目とは？
デジタル化最大のネック「1741」

第3章
こんなところにあった、日本の強み……71
先進国のデジタル化の悩みは、実は共通
コツコツと地道に更新する作業にリスペクト
田舎にこそドローン配達

第4章
DXを阻む難敵に「アジャイル」で立ち向かう……115
DXの進展に不可欠な「ベース・レジストリ」
「漢字問題」「フリガナ問題」に挑む
「アジャイル」——無謬性神話からの脱却

第5章
デジタル大臣鼎談 141
霞が関的なヒエラルキーをぶっ壊した組織
デジ庁は〝政治主導〟で作った
圧倒的に足りないリソースの中、注力テーマを4つに厳選
デジ庁と党で役割分担をして推進
各国デジタル施策の広報合戦
現れ始めている「スター自治体」
デジ庁は霞が関の〝希望の星〟

第6章
理想とするデジタル社会とは? 187
デジタルが目的化していないか?
諦めずに済む社会を

デジタル推進委員は有償であるべきか？
〝ひきこもり〟がサイバーセキュリティの最前線へ

第7章
日本はどこまで行きますか？……217
マイナポータルをどう改善するか
【医療ＤＸ】より良質な医療やケアを受けられるように
【教育ＤＸ】デジタルツールは「文房具」であるべき
【防災ＤＸ】デジタルの力で被災者を守る
未来に向かって

あとがき……252

第1章

デジ庁を叩いて得をする人はいるのか

デジタル庁のミッション・ビジョン・バリュー

デジタル庁（以下、デジ庁）にはミッション・ビジョン・バリューが定められている。ベンチャー系の民間会社であれば当たり前の話だろうが、霞が関において、こうしたものが定められているというのは珍しいかもしれない。

昭和の会社の朝礼シーンでは、社訓や社是が額縁に入れられ、壁に掛かっている場面が思い浮かぶ。その装いよろしくデジ庁でも、ミッション・ビジョン・バリューが書かれた紙が、フロアの壁、エレベーターホール、入口、様々な場所に貼り付けてある。アナログな方法であっても、しっかりと掲げておくことがミッション・ビジョン・バリューの意識づけとして大事であろう。

ミッションとはWHY（組織が社会のために果たすべき使命や、存在する目的）、ビジョンとはWHAT（ミッションを実現するために目指す、あるべき姿〈未来像〉）、バリューとはHOW（大切にする価値観や、日々の行動指針）としている。これをデジ庁に置き換えると、ミッション「デジタル庁は、誰の何のために存在するのか」、ビジョン「デジタル庁が目指す、組織としてのあるべき姿とは何か」、バリュー「職員はどのような価値観を持ち、日々どのように行動すべきか」となる。

デジ庁は、ミッションに「誰一人取り残されない、人に優しいデジタル化を。」、ビジョンに「Government as a Service」「Government as a Startup」（GaaS：サービスとしての、スタートアップとしての政府）を置いている。多様なバックグラウンドを持つ職員が集うデジ庁だからこそ、全員が迷ったら立ち返ることのできるものが必要なのである。デジ庁ができあがる前からコツコツとワークショップなどを重ね、作り上げてきたものだ。ブレインストーミングから始まってアイデア出しをし、ボトムアップで丁寧に言語化する作業が進められた。組織作りの専門家がいたからこそ、このプロセスが実現できたと思う。

そして議論を経て表現のアップデートも行われている。まず、「誰一人取り残されない」というところにこだわりがある。

SDGsの"No one will be left behind"は日本語ではしばしば「誰一人取り残さない」と訳されている。しかし、この表現を聞くと、行政側が上から目線で「取り残しません」と宣言をしているように思うのではないか、目指すべき世界観は「私、置いてきぼりになっていない」と一人ひとりが感じることのできる社会なのではないか、という議論があり、「誰一人取り残さ『れ』ない」に更新されたのである。

「デジタル」と聞くと「難しくて分からない」と「冷たい感じがする」という声が多いこ

設立1年の総括 ｜ ミッション・ビジョン・バリュー

ミッション

誰一人取り残されない、人に優しいデジタル化を。

一人ひとりの多様な幸せを実現するデジタル社会を目指し、世界に誇れる日本の未来を創造します。

ビジョン

優しいサービスのつくり手へ。

Government as a Service

国、地方公共団体、民間事業者、その他あらゆる関係者を巻き込みながら有機的に連携し、ユーザーの体験価値を最大化するサービスを提供します。

大胆に革新していく行政へ。

Government as a Startup

高い志を抱く官民の人材が、互いの信頼のもと協働し、多くの挑戦から学ぶことで、大胆かつスピーディーに社会全体のデジタル改革を主導します。

デジタル庁

とも踏まえて、「人に優しいデジタル化を。」をミッションとしている。デジタルが本来得意としている、チャレンジを抱えている人々を支える役割を伝えたかったのである。一人ひとりの多様な幸せを実現するデジタル社会を目指し、世界に誇れる日本の未来を創造することをミッションとして宣言した。

そして「優しいサービスのつくり手へ。」。国、地方公共団体、民間事業者、その他あらゆる関係者を巻き込みながら有機的に連携し、ユーザーの体験価値を最大化するサービスを提供することを「サービス提供者としての政府」というビジョンに込めた。

行政はサービス提供者である。それは国であっても市であってもベースに流れている精神であろう。しかし、ユーザーである国民か

設立1年の総括 ｜ ミッション・ビジョン・バリュー

バリュー

一人ひとりのために

私たちは、この国とともに歩む人々の利益を何よりも優先し、高い倫理観を持ってユーザー中心のサービスを提供します。

声なき声にも耳を傾け、一人ひとりに寄り添うことで、誰もがデジタルの恩恵を受ける社会をつくります。

常に目的を問い

私たちは、前提や慣習を前向きに疑い、世界に誇れる日本を目指し、新しい手法や概念を積極的に取り入れます。

常に目的を問いかけ、「やめること」を決める勇気を持ち、生産性高く仕事に取組みます。

あらゆる立場を超えて

私たちは、多様性を尊重し、相手に共感し、学び合い補い合うことによって、チームとして協力して取組みます。

また、相互の信頼に基づいて情報の透明性が高い、オープンで風通しのよい環境をもとに、自律して行動します。

成果への挑戦を続けます

私たちは、過度な完璧さを求めず、スピーディーに実行し、フィードバックを得ることで組織として成長します。

数多くの挑戦と失敗からの学びこそがユーザーへの提供価値を最大化すると信じ、先駆者として学びを社会へと還元しながら、成果への挑戦を続けます。

デジタル庁

ら距離のある霞が関では、中央省庁がサービス提供者という意識は薄れがちなのかもしれない。

省庁や役所、役場において、公的な仕事を担っているという責任と自負は不可欠だが、究極的に言えばサービス業なのだと思う。国民がクライアントであり、（政策などを含め）より良いサービスを提供するのが我々の仕事だ。

「はじめに」のワクチン接種証明書アプリで紹介した通り、デジ庁はユーザーである国民に直接アプリを届ける省庁だ。スマホやデバイスを通じて結ばれる国民との直接的なつながりは、実は霞が関の中では珍しい。他の省庁であれば産業ごとにヒアリングをしたり、地域ごとに調査をしたりすることはあるが、フィードバックも含めて国民とダイレクトに対話ができるのはデジタル庁の大きな特徴なのである。

そして「スタートアップとしての政府」に「大胆に革新していく行政へ。」との思いを付け加えている。高い志を抱く官民の人材が、互いの信頼のもと協働し、多くの挑戦から学ぶことで、大胆かつスピーディーに社会全体のデジタル改革を主導することとした。さらにバリューとして、「一人ひとりのために」「常に目的を問い」「あらゆる立場を超えて」「成果への挑戦を続けます」としている。

ゼロから作り上げた役所だったからこそ、原点をチャーターメンバーで確認しながら進めていくことが可能だった。デジ庁はスタートアップだ。チャレンジの塊だ。だからこそ、デジ庁への様々な論評を耳にするにつけ、「それって、まずは批判から入る〝テンプレ〟なんじゃないか?」ということが実はひっかかっていた。

デジ庁の課題を指摘してもらうこと、分析したり検証すること、あらゆる側面から批評したり論じることも、もちろん大事。常に批評はオープンに受け止めたいと思ってきた。ただ気がかりだったのは、スタートアップ叩きになっていないか、という点だった。

同時に、新しい組織への応援の意味も込められていたのかもしれないが、「新興勢力だかせめぎ合いでは、若いデジ庁がブロックされて敗退しているに違いない、という思い込み。「○○を阻む××」「旧態依然としたもの対新しいもの」という、ものすごく分かりやすく、かつストーリーに乗りやすい文脈で語られているような居心地の悪さも感じていた。

それは単純にデジタル庁を守らんとして言っているのではなく、組織に新たな挑戦をしようとしている人に注がれるシニカルな視線が日本の風潮であるとしたら、これからどんどんスタートアップを増やしていこうとしているところに、「日本、まずいぞ、育たないぞ」と感じたのである。デジ庁は霞が関においてはスタートアップの1つのアイコンだとも思っている。毎日他省庁と敵対しているわけではない。意見を擦り合わせる調整、交渉はハードなものであっても、「スタートアップであるデジ庁にそんな難しい交渉はできっこない」という思い込みには違和感があったし、この感覚からは早く脱却してもらいたい。

組織が立ち上がったばかりの時期は、試行錯誤があるのが当たり前だ。それを見守る寛容さがスタートアップを支援するのではないだろうか。そしてその先に日本の明るい希望に満ちた力強い未来が築かれるのではないだろうか。

ちなみに、日本で起業が少ない原因として、「失敗に対する危惧」「身近に起業家がいない」「学校教育」が上位に挙げられる。

ユニコーン企業価値合計の国際比較＊2

ユニコーン企業価値の国際比較（上位5社）＊2

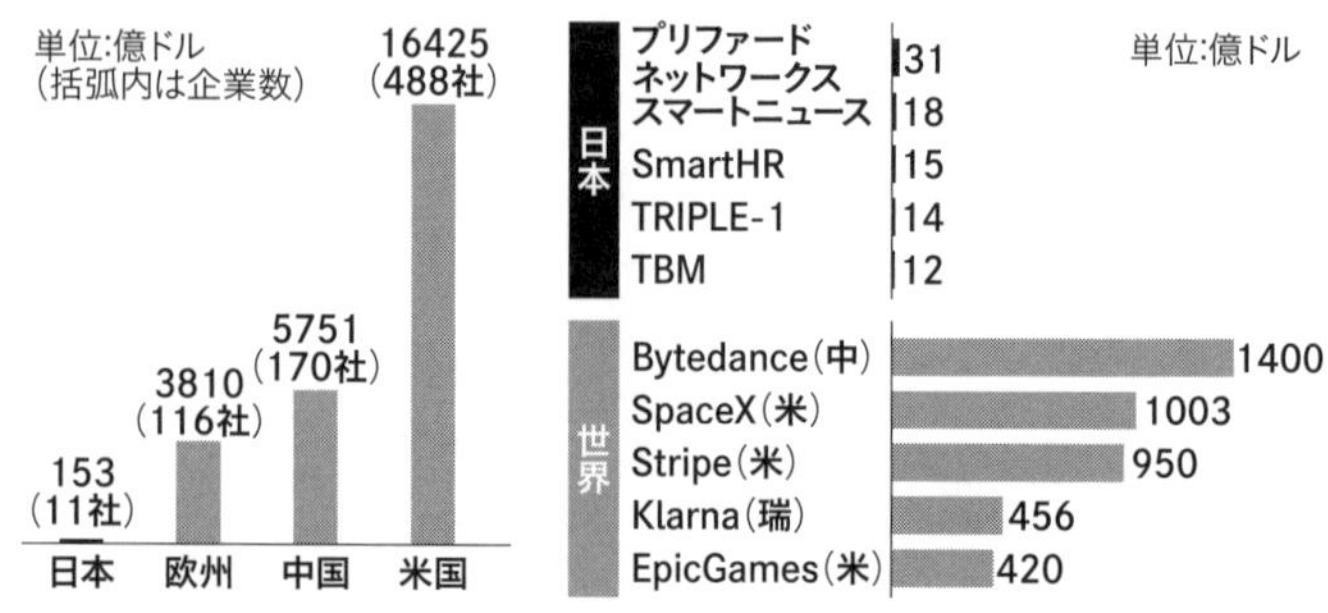

＊1:2021年12月時点でユニコーンではない企業は積算されていない。＊2:1ドル=115円で換算。出所：CB Insights「The Complete List Of Unicorn Companies」、STARTUP DB

●日本もユニコーン（企業価値10億ドル超の非上場企業）を創出しているが、そのスピードは、米国のみならず中国やインドにも及ばず、世界との差が開いている状況

●米国などでは、デカコーン（100億ドル超）、ヘクトコーン（1000億ドル超）と呼ばれる企業価値の大きいメガスタートアップも存在しており、数に加え、大きさでも世界と差が生じている

「経済財政運営と改革の基本方針2022」（骨太方針）には、「スタートアップ」は「人への投資」「科学技術・イノベーション」「脱炭素・デジタル化」と並ぶ、重点投資分野に位置付けられており、2022年をスタートアップ元年とした。創業時に民間金融機関か

各国のユニコーン企業数の推移＊1

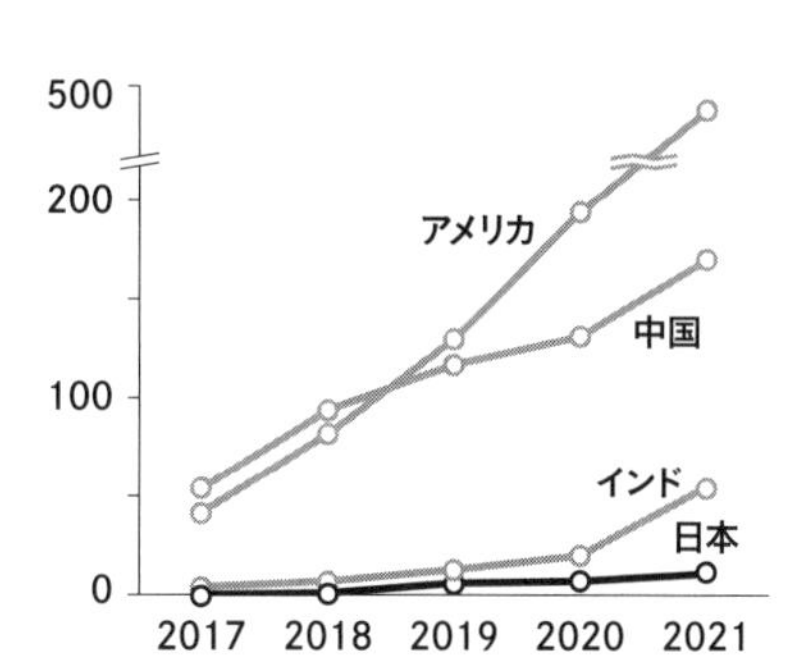

ら借り入れを行う際に、経営者による個人保証を付与されることが大きなリスクとなっていることに鑑み、公共調達におけるスタートアップの活用、海外のベンチャーキャピタルも含めたベンチャーキャピタルへの公的資本の投資拡大なども掲げている。スタートアップが集積するキャンパスづくりの推進、優れたアイデア・技術を持つ若い人材に対する支援制度の拡充、起業家教育の推進などに取り組むことになっている。

もちろん制度上でも政府が一歩前に出てリードしていくことは言うまでもないが、個々人の「アニマルスピリッツ」をいかに醸成しサポートしていくか、ということも重要だと考えている。

日本財団が２０２２年3月24日に発表した18歳意識調査（対象：17～19歳の男女、エリア：日本・アメリカ・イギリス・中国・韓国・インド）においても、元気を失いかけてい

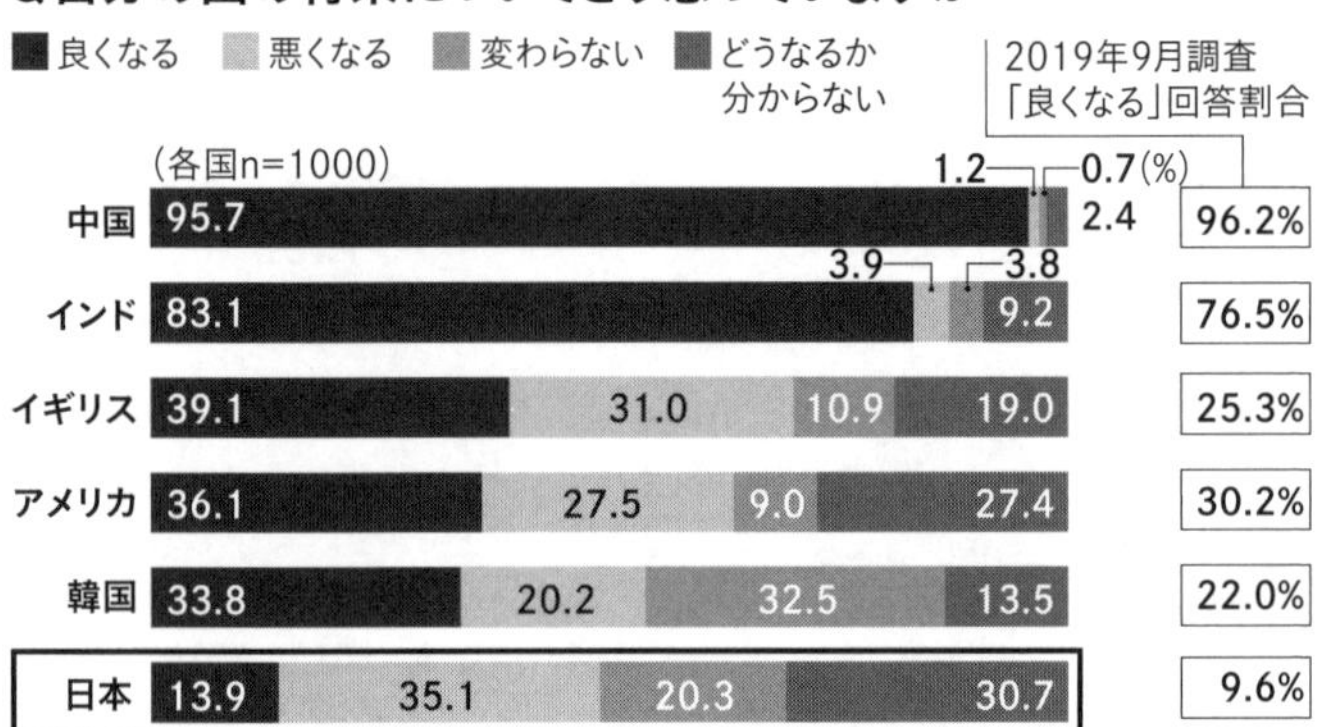

る若者の姿が見える。

●自分の国の将来について「良くなる」という回答が最も多かったのは中国で、その割合は95・7%、日本は最下位でその数字も13・9%と圧倒的に低かった。

●10年後の自国の競争力について「経済が強くなる」と答えた割合は、こちらも日本は最下位で10・9%。中国、インド、韓国、イギリス、アメリカ、日本の順。「科学技術が強くなる」と答えた割合は45・5%で経済に比べれば高いが、各国順位は経済と同じで日本は最下位。

●文化・芸能でも日本の競争力は最下位の回答結果だが、中国の次に高かったのは韓国。続いて、インド、アメリカ、イギリス、日

Q10年後、以下の分野での自国の競争力は、他国と比べてどうなっていると思いますか

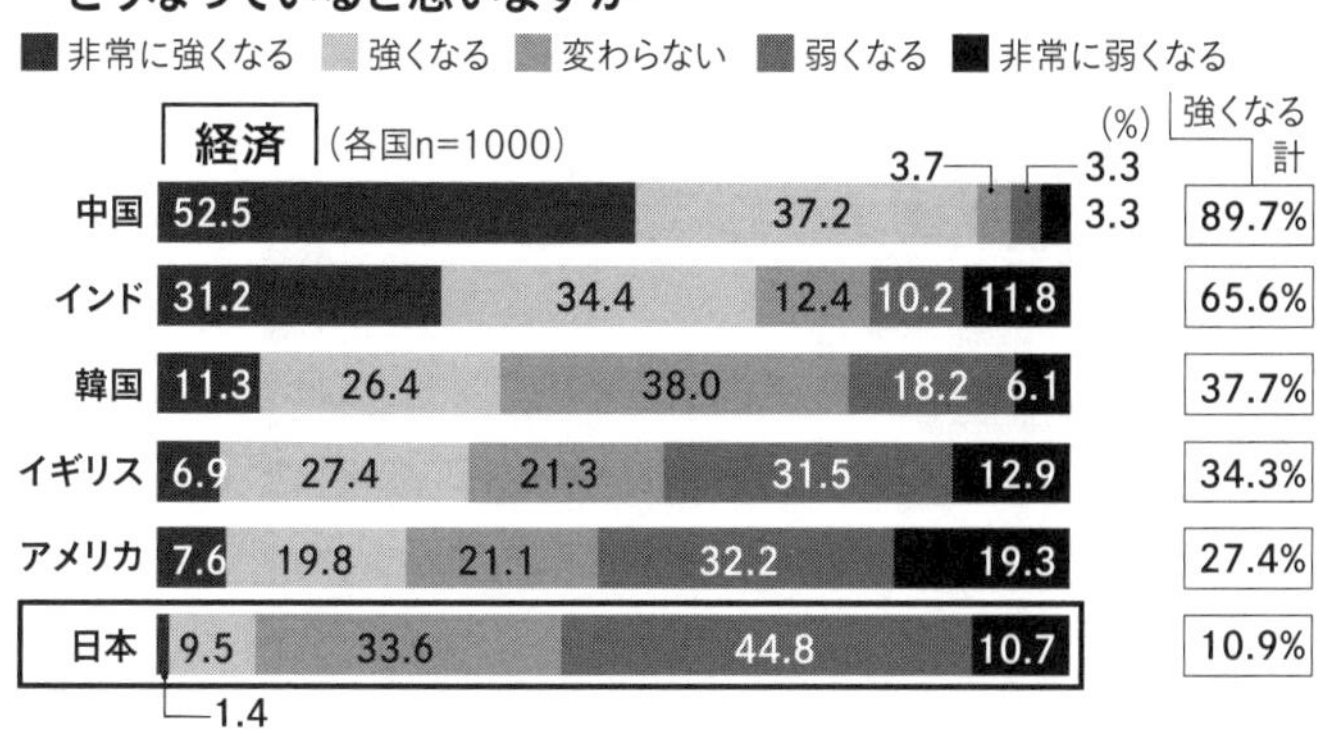

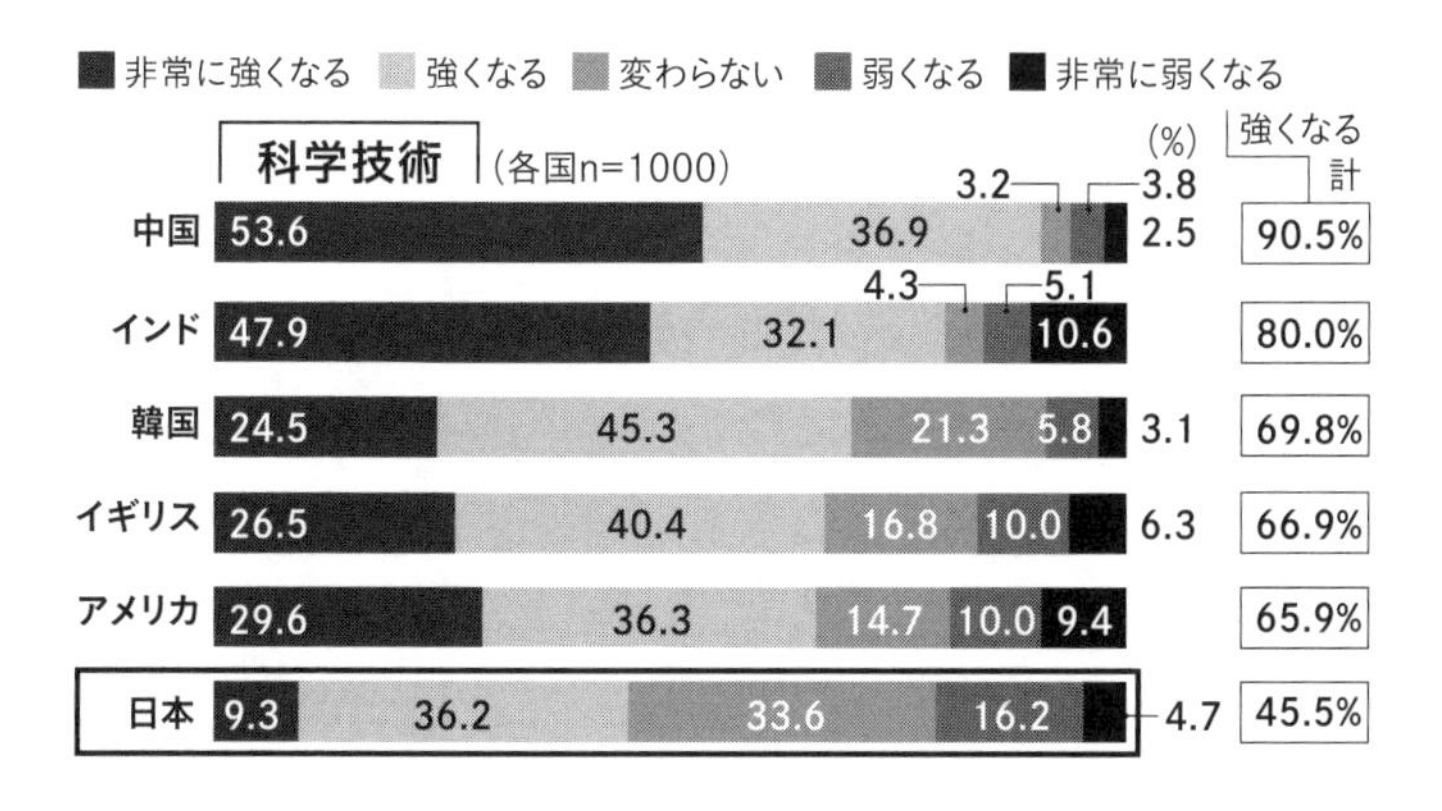

Q10年後、以下の分野での自国の競争力は、他国と比べてどうなっていると思いますか

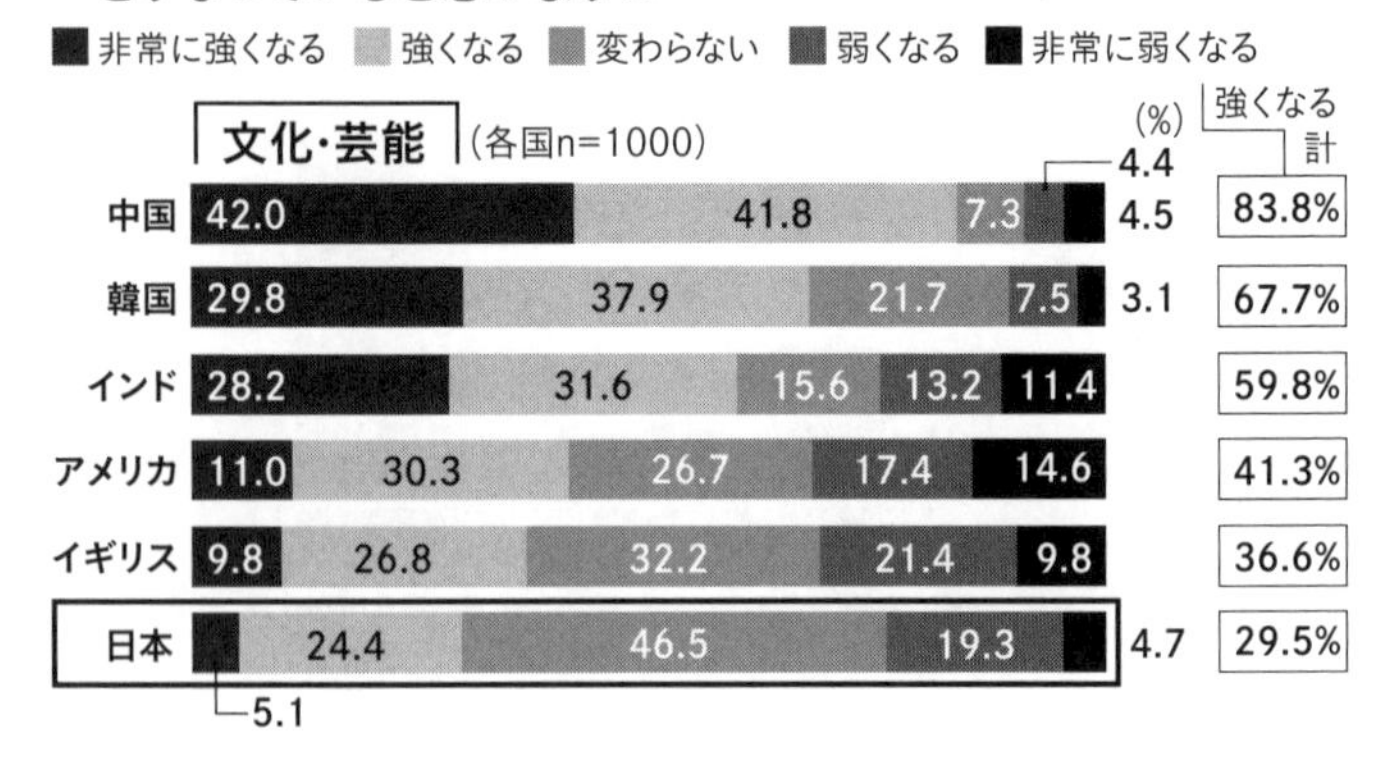

本と続く。

●「自国は国際社会でリーダーシップを発揮できる」と思っている割合は、中国が1位、インド、アメリカ、イギリス、韓国（53・3％）に続いて最下位の日本は22・8％であり、数字も圧倒的な低さ。「自国には優れたリーダーがいる」「機会があれば留学や他国で就労をしてみたいと思う」割合も最下位。

●「自分は大人だと思う」「自分は責任がある社会の一員だと思う」「自分の行動で、国や社会を変えられると思う」のいずれも最下位。イギリスでは85・9％が「自分は大人だと思う」と答えている一方で、日本の回答は27・3％。インドの78・9％が「自分の行動で、国や社会を変えられると思う」と答えている一方で、日本の回答は26・9％に

Q自国について、
以下の項目に同意しますか。

(各国n=1000)
※「はい」回答率を掲載

(単位:%)

自国は、国際社会でリーダーシップを発揮できる		自国には、優れたリーダーがいる		機会があれば留学や他国で就労をしてみたいと思う	
日本	22.8	日本	29.2	日本	41.7
中国	86.0	中国	87.4	中国	71.6
インド	79.7	インド	71.3	インド	70.9
アメリカ	61.5	韓国	52.5	アメリカ	66.2
イギリス	56.2	アメリカ	38.2	イギリス	66.0
韓国	53.3	イギリス	30.5	韓国	60.9

Q自身と社会の関わりについて、
以下の項目に同意しますか。

(各国n=1000)
※「はい」回答率を掲載

(単位:%)

自分は大人だと思う		自分は責任がある社会の一員だと思う		自分の行動で、国や社会を変えられると思う	
日本	27.3	日本	48.4	日本	26.9
イギリス	85.9	インド	82.8	インド	78.9
アメリカ	85.7	イギリス	79.9	中国	70.9
インド	83.7	アメリカ	77.1	韓国	61.5
中国	71.0	中国	77.1	アメリカ	58.5
韓国	46.7	韓国	65.7	イギリス	50.6

（各国n=1000）
※「はい」回答率を掲載

（単位:%）

政治や選挙、社会問題について、自分の考えを持っている	
日本	42.1
中国	73.3
アメリカ	68.5
インド	64.4
イギリス	62.0
韓国	61.1

（単位:%）

政治や選挙、社会問題について、積極的に情報を集めている	
日本	29.3
中国	63.1
インド	52.6
アメリカ	48.5
韓国	46.2
イギリス	42.7

（単位:%）

政治や選挙、社会問題について、家族や友人と議論することがある	
日本	34.2
中国	76.6
インド	65.2
韓国	64.5
イギリス	63.9
アメリカ	62.1

とどまっている。

●「政治や選挙は、自分の生活に影響すると思う」と答える割合は日本で60・9％であるが、全体では5位、最下位はインド。「政治や選挙、社会問題について、関心がある」の割合は50・0％、「政治や選挙、社会問題について自分の考えを持っている」42・1％、「政治や選挙、社会問題について、積極的に情報を集めている」29・3％、「政治や選挙、社会問題について、家族や友人と議論することがある」34・2％と、3割から4割は情報収集などの傾向は見られるが、他の国では5割から7割の数字を示しており、こちらも最下位。

この6カ国調査から、日本の17歳から19歳

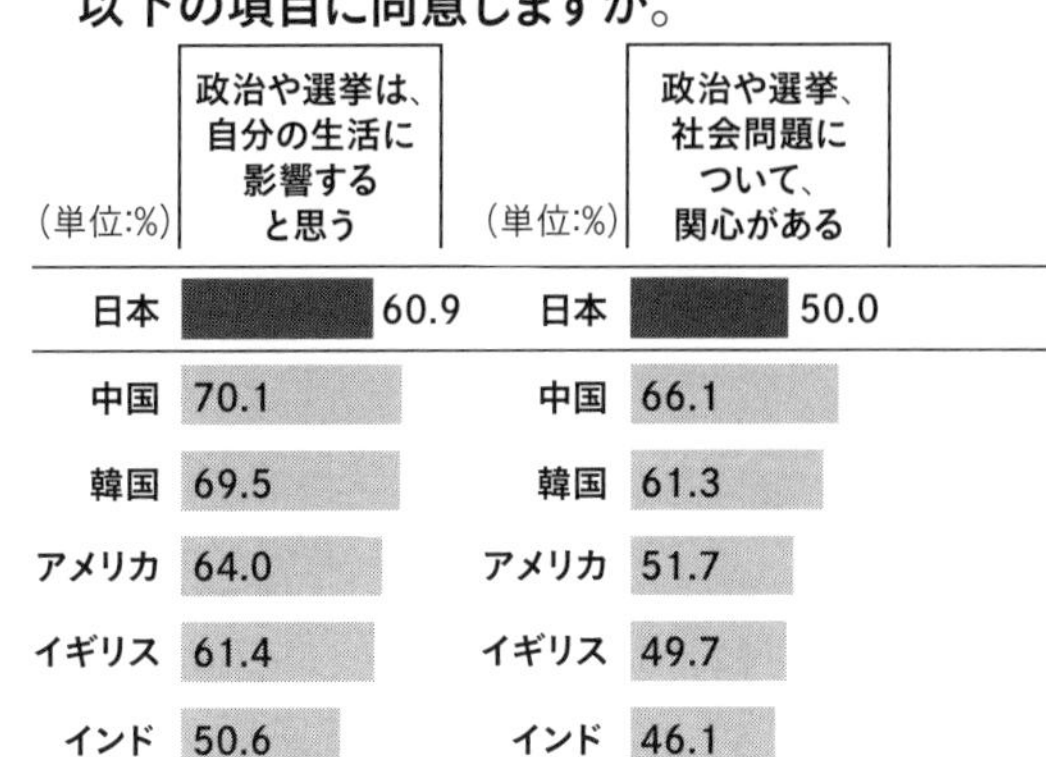

Q自身と社会の関わりについて、以下の項目に同意しますか。

(単位:%)	政治や選挙は、自分の生活に影響すると思う		(単位:%)	政治や選挙、社会問題について、関心がある
日本	60.9		日本	50.0
中国	70.1		中国	66.1
韓国	69.5		韓国	61.3
アメリカ	64.0		アメリカ	51.7
イギリス	61.4		イギリス	49.7
インド	50.6		インド	46.1

が政治や社会について家族や友人と議論する場が少ないこと、自国の経済競争力が強くなると確信を持てていないこと、国際社会におけるリーダーシップについても考えるきっかけが少ないことが見てとれる。

今の経済情勢や政治が若い世代にポジティブなメッセージを与えられていないのは、政治の責任である。ただ、失敗を恐れずチャレンジしたり、ビッグマウスと言われても自信満々に行動することを、周りの反応を気にして躊躇（ちゅうちょ）させているのだとしたら、日本社会全体の課題でもあると思う。新たな挑戦や無茶に思えるプランでも、そのアクション自体には「よくやった！」「あなたは社会を変えられる！」と応援する大人を増やしていきたい。

デジ庁は官民融合の〝イスタンブール〟

デジ庁は目新しい省庁であったがゆえに、その組織についても高い関心が寄せられた。2021年9月の発足当初は約600人。スタートアップ企業としてはいささか大きい器で始まった。ファウンダーがいて、最初の5人、10人から次第に100人、300人と成長していく民間のスタートアップと違って、デジ庁はファンディングファーザーズ&マザーズとあらゆるバックグラウンドを持つ人々とで、600人からの船出であった。

その様子を「いろいろな人がいて大変そう」と言う人もたくさんいた。「官と民は違いすぎてうまくいきっこない」と思っていた人もいただろう。自民党でデジタル政策を共に進めてきた平将明衆議院議員は「デジ庁はイスタンブール」と評してくださった。私はこの表現を好んで使っている。東洋と西洋の文化が重なるイスタンブールにしかない、ごちゃ混ぜの魅力がある。「行ってみたい」気持ちにさせる魅惑がそこにある。デジ庁は官民融合のイスタンブールだ。

人手不足も話題になることがあったが、足りないのは官の人材。それはどの省庁でも起きている現象である。その証拠に民間人材においては倍率20倍という人気で多くの有能な方を惹きつけることができている。2022年4月にはデジ庁として初めて採用した国家公務員1期生が加わり、750人体制にまで育った。

一方、民間出身者は250人である。3分の1が民間人材になれば組織は当然変わる。変わらざるを得ない。リモートワークのメンバー、非常勤のメンバーがオフィスに来なくても仕事を遂行できるのは、クラウドの活用などのシステムと、そして密なコミュニケーションがあってのことだ。非常勤での登用が可能だからこそ週3日デジ庁で働き、他の日は民間企業で働く、という働き方が可能になる。

「非常勤の民間人材が情報にアクセスするのは問題である。機密が守られないのではないか」という声もあったが、働く日数、バックグラウンドにかかわらずそもそも職務上知り得たことを外部に漏らすことは許されない。むしろ民間出身者にはいわゆる「親元企業」があるから、関係する調達には加われないなど、コンプライアンスはどの省庁よりも厳しくしている。また日本において、人材の流動化という言葉が聞かれるようになってきたが、デジ庁は終身雇用・新卒一括採用を前提に配置転換しながら経験を積んでいく「メンバーシップ型雇用」と、職務内容に応じて適したスキルや経験を持った人を採用する「ジョブ型雇用」が併存する組織なのである。

官の人材にも各省庁と地方自治体の職員がいる。霞が関の中でも、省庁によって暗黙のルールが違ったりする。特定の役所でしか使われない専門用語もある。現場の知見が集まるから確実な進捗を実感できる半面、民間では一つの単語を聞いても思い浮かべるものが違う、そもそもその言葉を知らない、という現象も起きた。例えば「モントリ」は「質問取り」のことで、質問に立つ（このことを通称バッターに立つ、とも言う）議員からその内容を聞き取ること。これが疎かになると、本会議や委員会での議論が深まらず、「質問通告したはずなのに、答弁が用意できていないじゃないか」となってしまう。充実した審議のためには欠かせないプロセスなのだ。霞が関であればおそらく入省直後に聞くであろうこの専門用語も、当然民間出身者にとっては初耳だ。

他にも民間出身者と行政官がそれぞれ聞き慣れない言葉を教え合うという、全職員向けの「MVV（ミッション・ビジョン・バリュー）ラジオ」では、いくつかの言葉が紹介されている。「ポキポキ」と聞いて民間の皆さんが思い浮かべたのは、ハワイのポキ丼。実は箇条書きなど端的な文章でまとめたものを言う。「ポキポキでいいから作ってほしい」といった使い方をする。「短冊」も専門用語かもしれない。七夕でなくても「短冊」がやってくる。それは長い文書のうち所管に関わる部分だけが切り出されたような物を指し、例文は「短冊で来たものを確認する」など。

一方、「オンボーディング」という言葉は官では使われることがあまりなかった。このように言葉ひとつとっても違いがあるからこそ、官と民の出身者が「バディを組む」というのも試行的に行っている。今までの当たり前を一回取り払って、丁寧に密にコミュニケーションを図ることを心がけるようにしている。そのきっかけとなったのが、組織サーベイなどで記された職員の声であった。

デジ庁は局、部、課といった霞が関のオーソドックスな組織形態は取っていない。プロジェクトベースでチームが編成されている。「戦略・組織グループ」「デジタル社会共通機能グループ」「国民向けサービスグループ」「省庁業務サービスグループ」の4グループから構成され、原則として一人ひとりの人材の専門性、スキルに応じて最適なプロジェクトへの配属が進められている。一人で複数のプロジェクトのメンバーになることも多い。

オフィスはフリーアドレスなので、座席表もない。自分の座っている場所を誰かに伝えなければならない場合などは「赤い柱の前のテーブルにいます」といった表現が実際に使われている。一人で10個も20個もプロジェクトを担当していれば、時間が足りない、リソース不足だ、という声が上がるのも当然だ。プロジェクトリーダーも自らのチームのメンバーを把握するのが簡単ではなくなるし、上司がたくさんいて誰に何を報告、相談すればよいのか迷いが生じる。それが立ち上がったばかりのデジ庁の様相であったのだろうと受け止めている。

　プロジェクトベースの課題が明確になったので、コミュニケーションを密に行う具体的な施策を複数展開してきた。まずは「オールハンズミーティング」と呼ぶ全庁ミーティングをオンラインで実施し、大臣、副大臣、大臣政務官から幹部、非常勤職員まで、皆が参加し、チャットも使いながら率直に意見交換を行う。不明瞭になってしまっていた部分をクリアにする機会にもなったであろう。

　またここではミッション・ビジョン・バリューに沿って組織に貢献している個人やチームを紹介することもあった。「MVV（ミッション・ビジョン・バリュー）アワード」は庁内での推薦によって決められたが、推薦理由からは互いに互いを認め合いリスペクトしている様子がよく伝わってきた。

　いわゆる尖った取り組みだけではなく「困ったときに助けてもらった」など、普段は目立たない部署でも職員を支えてくれている人々に光が当たったのは心温まるものであった。さらに、バリューアンバサダーという役割を担う職員がいることで、デジ庁が重視する価値を忘れずに働けるようになっており、バリューに対する理解は85％という定量測定もされている。

実際に今でも「デジ庁からは大量に退職者が出ている」と誤解されていることがある。既に大臣の職を退いているので、明確に記しておこう。「大量の退職者が出たという報道は事実と異なる」と断言したい。

２０２２年３月末に、民間人材が任期満了で予定通り退任したというのは事実であるが、それは年度末が契約の期限だったからである。年度末に人が異動するのは日本では見慣れた光景ではないのか。当時デジタル庁を予定より早く退かれることになったのは２人である。

この誤解がどこから世の中にもたらされたのか、そのネタもと記事も想像がついているのだが、報じられたタイミングも悪かった。情報が古い。２０２２年４月に記事化されたが、そこで参照されているのは２０２１年11月のサーベイ（いわゆる職員満足度調査）の話である。初年度の11月に第１回組織サーベイが実施された。現場からは新しい環境での戸惑いや、想像以上の仕事の多さに疲弊している様子が正直に伝わってきた。その結果は私も重く受け止めた。具体的な声も記されていた。急速な成長が求められる組織に負荷がかかっていることも可視化された。だから、全庁挙げて既に記したような組織改変を進めたのである。

その結果、２０２２年５月の第２回組織サーベイの結果は改善している。「職員の満足度」は43％から51％とプラス８％の改善、「デジタル庁を誇りに思うか」についても54％から63％とプラス9％の改善が見られた。「過去半年の間、組織として改善に前向きに取り組んでいる」と回答した職員は全体の約60％となった。職員自らが工夫を凝らしデジ庁を作り上げていったプロセスに注目してもらいたいし、一時期の数値だけを取り上げるのではなく、数値が「改善された」点に着目してもらいたい。子どもの成長も同じだろう。テストの点数を都度つど見て分析すること以上に、学びの成果が次のテストの結果に反映されたことを評価し、伸ばしてあげることが大事なのではないだろうか。

初回のサーベイを元に報道がされた頃、デジ庁はまだ1歳にも満たない、6カ月のスタートアップだったのである。これからもデジ庁は成長痛を続けるだろう。「デジ庁を叩いて得をする人はいないはずなのに」というのが当時の私の本音だった。

デジ庁に抱いているイメージは、実は人によって違う。「システムを作っているところ」と思っている人から「大臣はエンジニアの方が良いのではないか」と言われたこともあった。

デジ庁はシステム管理をしているが、デジ庁職員全員がエンジニアなわけではない。政策を作り、サービスを定義し仕様書を示し調達しリリースしていく。前述した通り、オープンでフラットで風通しの良い明るい職場を目指してきたが、日々の業務は国会答弁、政策勉強会への陪席、法案作成など霞が関の地道な作業の積み重ねである。

デジ庁は民間ビルに入っていて職員がTシャツとジーンズとスニーカーで出勤していることもあり、デジタル企業に人々が抱く派手さや華やかさをデジ庁に求める向きもあるかもしれない。しかし、民間でデジタルに関わる人々も往々にしてそうであるように、地道にアーキテクチャーを考え、ユーザーインターフェースからシステムまで考える人がいなければ回らないし、それぞれの専門家が連携してチームとして動かなければ良いものはできない。

しかも、コロナへの対応という大きな課題を突きつけられてのスタートである。日本のように長い歴史の上に立つ国で、今あるシステムを、翌日から何か新しくポンと作り替えられるわけでもない。今動いているものは動かしながら、新しいものを作り移行させていかねばならない。イメージとのギャップはあるかもしれないが、一つずつコツコツとサービスを支えるための基盤をあらゆる側面から構築してきたと言える。

第2章

日本のデジタル化の現在地

デジタル最強小国・エストニアの現実

大臣としての最後の会見のとき、開口一番「日本のデジタル化は遅れていますがー」という入りからの質問があり、私は「今後は、日本のどの部分、どの政策が、どこの国の、何と比べて、遅れているのか、その前提を明確にしてもらいたい」と伝えた。そもそも、どの国なのか（その国のデジタル社会は日本が目指すそれと似た世界観なのか、そもそも全く別次元の話なら比べることに意味があるのか、という問題にもなる）。優れている点も、遅れている点も各国の何と比較するかによって、答えは異なる。

これは別にデジタル庁の話だけをしているわけではない。ちょっと、ざっくり雰囲気で日本ってダメだとか○○は甘いよなとか言ったり、叩いたりすることを容易に選ぶ傾向はないだろうか。新たなチャレンジをしている人やプロジェクトに対して、いったん見守ってみる眼差しを意識的に持つことも必要なのではないか。

制度整備だけではなく、私たち側のマインドも変えないとスタートアップは成長しないし、新たなものは生まれてこないのではないかという危機感を持っている。「遅れている」と言いながら「変化を恐れる」ところもある。その間で改革を進めなければならないという感覚もあった。ちょっと抽象的になってしまったが、一歩踏み出そうとする人たちを日本

アンドレス・スット起業IT大臣（右から3人目）とエストニア経済通信省で意見交換

MOC（協力覚書）署名式ももちろん電子的に行った

全体が応援できる社会にしていきたい、と新しい組織で働いたからこそ、強く感じた日々でもあったのである。まず、諸外国とはどこなのか、から整理しよう。

「電子政府」と聞いて最初に思い浮かぶ国はどこだろうか。エストニアを挙げる人は多いと思う。デジタル庁を作るにあたって、経済界も含めて多くの関係者がエストニアを訪れた。「エストニアを模してデジタル化を進めます」と言われ続けたエストニアの電子政府関係者にとっても、２０２１年9月1日は待ちに待った日。「おめでとう。やっとデジタル庁が立ち上がったね」という気持ちであっただろう。デジタル庁は初年度にエストニアとのMOC（協力覚書）を締結したが、私自身もデジタル大臣として初めての訪問国としてエストニアを選んだ。

ロシアによるウクライナ侵攻から2カ月というタイミングで訪問したエストニアには緊張感が漂っていた。「ウクライナでなければエストニアだったのかもしれない」「ウクライナの次はエストニアなのかもしれない」、そうした危機感が感じられた。

エストニアは歴史的に何度も大国の侵略に遭い、国土を蹂躙（じゅうりん）されてきた。一度獲得した独立をナチス支配下のドイツやロシアの介入によって失った経験から、「二度と周辺国に飲み込まれたくない」という強い意識を持っている。独立回復から3年後の1994年に、早くも「eエストニア」、すなわちエストニアの電子国家化を決定したのも、デジタル空間に国のコピーを作っておく、という狙いがあったのだと推察できる。国が物理的に侵略されても、いつでもエストニアを再興できるようにするためのバックアップだ。電子国家化を後押ししたのも、ブロックチェーンや分散型台帳技術に積極的に取り組んでいるのも、安全保障上の脅威に向き合っているからこそと言えるだろう。

デジタル社会の発展に目覚ましい成功を遂げてきたエストニアも、2006年にはロシアとの関係が悪化し、2007年大規模なサイバー攻撃に晒されることになる。セキュリティは常にアップデートし続けねばならない。しかし、それが電子政府を進めない口実にはならない。むしろ積極的に推進し続けてきた。エストニアでは次ページの表のような指標が示されている。

着実に行政のデジタル化を進め、24時間365日いつでもインターネットで公共サービスを利用できる環境を整えてきた。デジタルで行政サービスを利用できる「国民の権利」を行使できる、国民のWell-being（ウェルビーイング）を向上させるための戦略的選択を重ねてきたと言える。

学校と地方自治体がコンピュータを所有	100%
銀行振込がオンライン送金	99%
処方箋がオンライン発行	98%
国民がIDカードを所有	98%
税務申告が電子申告	95%
国民が日常的にインターネットを利用	88%
国民がオンラインで国勢調査に回答	67%
投票がインターネット経由（2019年エストニア議会選挙）	43.8%

1996年	eバンキング
1997年	電子政府
2000年	電子納税
2001年	XROAD
2002年	電子IDカード発行、eスクール
2005年	電子投票制度
2006年	e司法、e公証人
2007年	デジタルセキュリティー
2008年	ブロックチェーン応用、eヘルス
2010年	e処方箋
2014年	電子居住権制度開始

出典：『e-エストニア　デジタル・ガバナンスの最前線』（日経BP）より抜粋

ちなみに、結婚と離婚と不動産売買だけはアナログとなっている。現地では、強制的な結婚でないかを確認する、財産権や財産分与などを厳しく見るという意図があると聞いた。

エストニアのデジタル化の基本的な原点は「便利になる」ということ。「電子政府」への信頼も厚い。その理由を、1つの事例で紹介してくれた。

ある病院に入院した著名人がどのような病気で入院したのか好奇心から知りたい、と思った医療関係者がいたとする。その人が隠れて紙のカルテを覗き見ていたら、誰もそのことに気づかなかっただろう。しかし、カルテが電子化されアクセス記録が残るデジタル社会では、どのパソコンから誰が不正にアクセスしたのか、すぐに分かる。デジタル化は、プライバシーを晒(さら)すものではなく、守ってくれるものだとエストニアの人たちは思っているのだという。国民の間で、政府はコスト削減ができ、エストニア人の生活の質が上がり、経済活動が活発になるという道筋が共有されているからこそ、実際に多くのスタートアップが誕生している。

そしてなによりも特筆すべきは、「データ大使館」という考え方だろう。他国からの侵略、自然災害などがエストニア国家に甚大な被害を及ぼすことを想定して、自国民の重要なデータのコピーを、同盟国のサーバーに分散し、保管しておいてもらう。中世には、ドイツ、デンマーク、スウェーデンなどの支配下におかれ、18世紀からはロシアの支配下に。1918年に独立を果たすものの1940年、再びソビエト連邦に併合され、1991年ソ連の崩壊とともに再び独立を果たした。

いつ他国から侵略を受けて国土を占領されてもおかしくない。サイバー攻撃に備えつつも、実際に武力での侵攻を受け領土を失ってしまったら国はどうなるのか。

そこでエストニア政府は考えた。「領土を失っても国民のデータがあれば国は再興できる」。国とは領土ではなくデータだと考えたのである。エストニア政府はほとんどの国民の基幹データを電子化し保有しているだけでなく、そのデータを、信頼できる同盟国のサーバーに保管することにした。万一、自国の領土がどこからか武力侵攻を受けても、「データ大使館」に逃してある国民のデータで亡命政府を置くことはできるのだ。

２０１７年にルクセンブルクに最初の「データ大使館」が置かれたことは公表されている。国家運営を継続できるデータセットのバックアップを国外に持つ、という決断をしたエストニア。電子政府を急速に進めてきたウクライナにも同様の思考回路があるように思う。

エストニアと日本を比べてみると

一方、日本ではコロナ禍で定額給付金の遅れを指摘されることが多かった。「他の国では、携帯電話に『口座に入金しておきました』とメッセージが来たのに、なぜ日本ではこんなに時間がかかるのか」という質問もされた。これには理由がある。

まず、政府は国民の携帯電話番号やメールアドレスを知らない。これがエストニアであれば、国民にメールで通知することはできるだろうが、日本の政府データには国民のメアドも携帯番号もない。もっと言えば、誰がどこに住んでいるのか把握しているのは、基礎自治体である市区町村であって、政府ではない。

国が国民に一律お知らせをしようと思えば、AC広告を打って見てくれることを期待するという方法になるだろうか。常套手段は、住民票がある自治体から住民にお知らせを郵送してもらうことになる。自治体の広報なども活用できるが、多くの場面で、印刷や発送の手間と時間がかかることになる。そして給付金を入金するにも、どの口座に入金すればよいのか、事前に決め事は存在していない。

手書きの口座情報は自治体での確認も大変だ。「1」なのか「7」なのか判読不明のケースも出た。「この口座では入金ができないのですが、もう一度ご記入ください」というやり取りを何度もやっているうちに、時間ばかりがかかってしまう。自治体の職員の負担も大きい。

こうした給付金などを早く入金できるようにするならば、あらかじめ口座を登録してもらうのが一番安心、ということで法律を作ったのが「公金受取口座の登録」である。迅速に正確に入金を、という国民の声を受けて制度化されたものである。

だからこそ、国民の一人ひとりにこの口座の登録をしてもらいたい。コロナのようなパンデミックだけではない。地震、台風のような自然災害も想定している。被災したら給付金は1日でも早く受け取りたいはずだ。自治体の職員も被災する。そのような中、お互い煩雑な手続きを繰り返したくない。

それでも、抵抗感がある人もいる。「口座登録したら、政府は残額を見て資産を把握しようとしている」という大きな誤解だ。登録するのは「たった1つ」の口座だけ。給与を受け取る口座でもいいし、誰にも伝えていないヘソクリの口座でもいいし、そんなに心配だったら新たに口座を作って残額ゼロにしておいてもいい。政府は口座残額を見たりはしない。皆さんが給付金をもらうための口座の「番号」の登録でしかない。

電子政府最先端で、人口133万人のエストニアが約20年かけて進めてきた電子政府を、日本は一気に実現させようとしている。1億人を超える人口の日本で、国民がマイナンバーカードを活用してオンラインで本人確認をするようになり、マイナ保険証を通じ健診情報や薬剤履歴などを自らの健康、医療サービスの向上に生かし、公金受取口座を登録するようになれば、世界的なインパクトは間違いなく大きい。

IMD「世界デジタル競争力ランキング」で見てみると

2022年9月に発表された2つの指標がある。一つはIMD「世界デジタル競争力ランキング」。63カ国・地域の中で「過去最低29位」と新聞の見出しで紹介されたものだ。2021年は28位だったので、1つ下げたのは事実。記事の中ではIMDの結果を踏まえて「デジタル庁の推進力不足」を指摘しているものもあるが、ここは、IMDのランキングがどのような数値によって決まっているのか、しっかり検証しておきたいと思う。

まず、順位算出はハードデータ（統計）とソフトデータ（経営者へのアンケート）によって決まる。

経営者が「国際経験」「デジタル／テクノロジースキル」について問われたときに「低い」と回答すると、それがそのまま反映される。ちなみに、国際経験は63位、スキルは62

順位	国名	21年からの順位差
1	デンマーク	△2
2	スイス	▲1
3	シンガポール	△2
4	スウェーデン	▲2
5	香港	△2
6	オランダ	▲2
7	台湾	△1
8	フィンランド	△3
9	ノルウェー	▲3
10	米国	△0
11	アイルランド	△2
12	UAE	▲3
13	ルクセンブルク	▲1
14	カナダ	△0
15	ドイツ	△0
16	アイスランド	△5
17	中国	▲1
18	カタール	▲1
19	オーストラリア	△3
20	オーストリア	▲1
21	ベルギー	△3
22	エストニア	△4
23	英国	▲5
24	サウジアラビア	△8
25	イスラエル	△2
26	チェコ	△8
27	韓国	▲4
28	フランス	△1
29	リトアニア	△1
30	バーレーン	—
31	ニュージーランド	▲11
32	マレーシア	▲7
33	タイ	▲5
34	日本	▲3
35	ラトビア	△3
36	スペイン	△3
37	インド	△6
38	スロベニア	△2
39	ハンガリー	△3
40	キプロス	▲7
41	イタリア	△0
42	ポルトガル	▲6

注）競争力総合順位。「21年からの順位差」は2021年版順位からの上昇（△）、下落（▲）幅を示す。出所：IMD「世界競争力年鑑2022」より三菱総合研究所が作成した資料から抜粋

位。ハードデータでは、技術系研究者登録者数が低く、49位。機会と脅威への対応（63位）、企業のアジリティ（63位）、ビッグデータの利用と分析（63位）も全てアンケートへの回答によるもので、軒並み低い結果。つまり、日本の企業の経営者が事業を、会社を、業界を、経済活動を、社会をどのように分析して答えているかが反映された結果の29位なのである。だからこそ、私は、経済団体の会合では、このIMDランキングを紹介しながら、「デジタル庁の責任は果たす。行政のすべきことは推進する。経済界も一緒にDXを進めてほしい。グローバル化も併せて課題だ」ということを繰り返し伝えてきた。

また、競争力総合順位で見ると、日本は34位である（上表・2021年は31位）。実は、日

「世界デジタル競争力ランキング」における日本の総合順位の推移

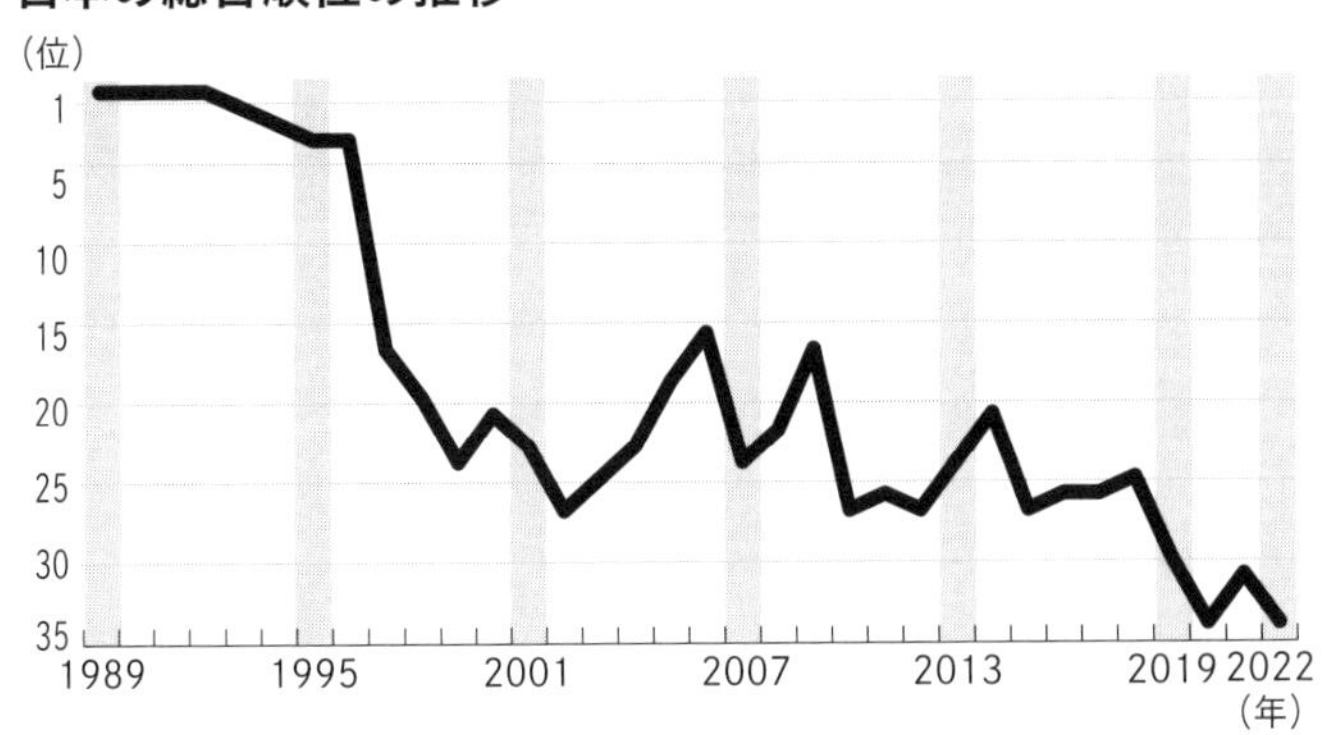

出所：IMD「世界競争力年鑑2022」より三菱総合研究所が作成

本は1989年から1992年まで1位だった。1996年まで5位以内を維持していたが、起業家精神など経営プラクティス（63位）などに課題があり、順位を下げた。最下位評価の指標もある中でなんとか持ち堪（こた）えているのは、「雇用（2位）」「科学インフラ（8位）」「健康・環境（9位）」など高評価の指標もあるからである。強みを伸ばし、弱点を克服する参考にしたい。

そして同時期に発表された、もう一つの指標は「国連電子政府ランキング」である（次ページ表）。こちらは前回調査（2020年）と同じ順位で193カ国中14位という結果であった。今後デジタル庁創設のインパクトが評価されることで、さらなるランクアップを

Table 1.1　Leading countries in e-government development, 2022

Country name	Rating class	Region	OSI	HCI	TII	EGDI (2022)	EGDI (2020)
Denmark	VH	Europe	0.9797	0.9559	0.9795	0.9717	0.9758
Finland	VH	Europe	0.9833	0.9640	0.9127	0.9533	0.9452
Republic of Korea	VH	Asia	0.9826	0.9087	0.9674	0.9529	0.9560
New Zealand	VH	Oceania	0.9579	0.9823	0.8896	0.9432	0.9339
Sweden	VH	Europe	0.9002	0.9649	0.9580	0.9410	0.9365
Iceland	VH	Europe	0.8867	0.9657	0.9705	0.9410	0.9101
Australia	VH	Oceania	0.9380	1.0000	0.8836	0.9405	0.9432
Estonia	VH	Europe	1.0000	0.9231	0.8949	0.9393	0.9473
Netherlands	VH	Europe	0.9026	0.9506	0.9620	0.9384	0.9228
United States of America	VH	Americas	0.9304	0.9276	0.8874	0.9151	0.9297
United Kingdom of Great Britain and Northern Ireland	VH	Europe	0.8859	0.9369	0.9186	0.9138	0.9358
Singapore	VH	Asia	0.9620	0.9021	0.8758	0.9133	0.9150
United Arab Emirates	VH	Asia	0.9014	0.8711	0.9306	0.9010	0.8555
Japan	VH	Asia	0.9094	0.8765	0.9147	0.9002	0.8989
Malta	VH	Europe	0.8849	0.8734	0.9245	0.8943	0.8547

UN E-Government Survey 2022

目指したいが、数値は既に上がっている（相対評価で順位アップにはつながらなかったが）。

ここで、電子政府ランキング1位のデンマークの取り組みを紹介しておこう。人口580万人のデンマークでは、1人あたりGDPが67・803ドルと日本の1・5倍、労働生産性も時間あたり日本の47・9ドルに比べて84・6ドルという水準である。一つには、日本がやはり「日本語」を基軸とした産業形態であることから、グローバルなマーケットで活躍する人材が不足している、ということもあるだろう。実際「デジタル・技術スキル」はデンマークが5位、日本が62位、「従業員教育」ではデンマークが1位、日本が30位、「未来への準備」もデンマーク1位で日本が41位と差が

デンマーク王国のイェッペ・コフォズ外務大臣と締結したMOC（協力覚書）。包摂性を意識した取り組みについて意見交換した

ついてしまっている。

しかし、デンマークも一足飛びに電子国家になったわけではない。デンマークの有識者によると、日本のマイナンバーに相当するCRP（社会保障）登録番号制度がスタートしたのは1968年であり、半世紀前のこと、これにより国勢調査も廃止されている。そして基本形として、全ての行政手続きは個人も法人もポータルサイトからオンラインで行うことになっている。さらに公的機関からの通知は「Digital Post（デジタルポスト）」で受け取ることが「義務」となっている。一方的に受け取るだけではなく、国民の側からメールすることもできる仕組みである。マイナポータルに相当する場所で、できる申請は

個人で2000種類、法人で1000種類となっている。銀行口座（EASYアカウント）の登録も「義務」である。ここまで徹底して「義務」とすることで電子政府が構築されていると分析できるだろう。ただ選挙の投票は物理的に投票所に行くことになっており、例外的な扱いだ。

実際にデンマーク人にマイナンバーカードとポータルも見せてもらった。生体認証を活用し、スマートフォンでワクチン接種記録などの医療情報も確認できた。ポータルである「Burger.dk」は国民の満足度92％という高い評価を得ている。例えば引っ越しであれば、ワンストップで住所変更から社会保障、運転免許、銀行、クレジットカード、電気などの公共料金、必要であれば登録医（GP）の変更まで可能である。引っ越しは日本でも手続きが煩雑なものの一つと言われてきたものであり、「引っ越しワンストップ」の取り組みが各自治体で進められてきたが、民間サービスまで含めて全てカバーできる姿を早く実現させたいものである。さらに、日本でもマイナ保険証で特定健診のデータと薬剤履歴は見ることができるが、次のステップはデンマークで既に確立されているカルテ、診断画像の閲覧となるだろう。

デンマークではデジタル庁は財務省の下に置かれているが、ヴァーメン財務大臣の発表した「国家デジタル戦略2022」によると"Digitalization can make us richer"と明示されている。「公共サービスの質を上げる、人的資源を解放する、DXを推進する」というのはもちろんのこと「デジタル化すれば稼げるのだ。お金持ちになれるのだ。生活が良くなるのだ」という直球のメッセージが、政府から示されていることにも注目すべきだろう。デジタル化することで企業の競争力が高まり、良い仕事が作られ、その職業に就く人の給与が上がり、福祉サービスのレベルも上がっていく、という好循環が生まれるベースがDXであるという位置づけである。

高齢者へのメッセージは「高齢者であるエリーさんは、あなたより便利な生活をしています（Elle har det nemmere end dig）」というもの。現在の延長線上にある未来に安心感を覚える傾向は消えないだろうが、便利な暮らしはアップデートされていくものでもある。それを上手に広報している事例とも言える。

日本が1位になった項目とは？

再び日本の事例に戻ろう。国連電子政府ランキングの調査の中で、実は日本が1位と評価されたカテゴリーもあるのだ。それが「E-Participation（電子行政参加）」という項目で

Table 1.10　Countries ranked highest in the 2022 E-Participation Index

EPI rank in 2022	Country	EPI value in 2022	EPI rank in 2020	Change in EPI rank from 2020 to 2022
1	Japan	1.0000	4	+3
2	Australia	0.9886	9	+7
3	Estonia	0.9773	1	- 2
3	Singapore	0.9773	6	+3
5	Netherlands	0.9659	9	+4
6	Finland	0.9545	14	+8
6	New Zealand	0.9545	4	-2
6	United Kingdom of Great Britain and Northern Ireland	0.9545	6	0

Source: 2022 United Nations E-Government Survey.

UN E-Government Survey 2022

ある。

電子政府の総合評価であるＥＧＤＩ（e-Government Development Index）と共に調査が行われるeParticipation Indexでは、「e-information（情報提供）」「e-consultation（対話・意見収集）」「e-decision-making（意思決定）」という3つの分野で国連全加盟国193カ国に調査が行われ、2年ごとにランキングが公開されている。日本は前回の4位から順位を上げた。お知らせや通知を出す、活用できるデータを政府が提供する、政策やサービスに対して意見聴取を行う、などが評価軸となっている。

具体的には、日本におけるオープンデータに関する取り組みや、意見やアイデアを収集するプラットフォームを活用して国民と「対話」をする入り口を作ったこと、リーダーシップの発揮、寄せられた意見を計画の中に反映したことなどが評価された。もちろん全て完成形ではない。オープンデータに関しては質量共にさらに充実させたいが、基本的な方針に基づきデータカタログがあり、主要データ項目のデータは公開されており、今後の取り組みにも期待が集まっている。

アイデアボックスやSNSに集まった意見は大臣として私も目を通してきたし、実際に電話でお話を聞かせていただいたケースもあった。意思決定プロセスについて、大臣が参加する討論会の開催も評価されたのではないか、という分析も出ている。国民の立場に立って、ユーザーの視点で、と繰り返してきたことが反映され始めているとしたらうれしいし、今後も満点を取り続けられるように努力したい。

このように、ランキングが発表される場合には、どのようにデータが取られているのか、にも意識を向けることが大事であるし、課題解決に向けて、あらゆるステークホルダーが力を尽くすことが重要であると考えている。

デジタル化最大のネック「1741」

「日本のデジタル化の最大のネックは何か」と問われる場面も国内外問わず多かった。私が示したのは「1741」という数字だ。各国の大統領、大臣、大使がメモした数字である。47都道府県の中に、792市、23区、743町、183村がある（平成30年10月1日）。

日本は1741の市区町村に1741通りのデジタル化の考え方、進め方、ローカルルールがある。仕事の仕方も1741通り。コロナ対応の遅れの要因の一つでもある。事例を挙げよう。

例えばワクチン接種。従来の予防接種記録は市区町村ごとに別々に管理しており、コロナワクチン接種の接種券なども当初はデジタル処理を前提とした様式に統一されていなかったことから、自治体のワクチン接種の案内通知はバラバラのフォーマットで発送されていた。VRS（ワクチン接種記録システム）が構築される「前の話」なので、二次元コードがついていたところもあれば、バーコードのところもあれば、数字だけのところもある、と標準化した仕様ではなかった。3回目以降は自治体に依頼し改善されたので「コードの読み込みに手間取った」という声は消えている。VRSシステムやiPadの読み取りに課題があったというより、そもそも読み取るべきものの仕様が一律でなかったことが問題だったのだ。

デジタル化が難しい自治体にとって、VRSがなければ、子どもが夏休みにラジオ体操に出てシールを貼ってもらうのと同じ記録にしかならなかっただろう。その紙が役所に積み上がり、引っ越しなどで問い合わせが来ても、原本を探すのにどれだけ苦労したことだろうか。2回目までの記録が電子的に取れていたからこそ、当初は予定されておらず、その後追加することになった3回目以降の案内も可能になったのだ。

そして、今や海外渡航に必要なワクチン接種記録もスマホで持ち歩ける。「新型コロナワクチン接種証明書アプリ」が高い評価をいただいているのはもちろんありがたいが、その基盤はVRSであることも忘れてはならない。そしてVRSは地方自治体の独自のやり方を標準化する基盤となったことも大きかったのである。

もちろん、自治は大事。各自治体の特色、個性も大事。地域事情も異なるし、その地域の特性をよく理解しているのはその住民、首長であろう。だが、根本的なところ、ベースは一緒でよい、という考え方はできないだろうか。

ここは規制改革のトピックにもなるが、例えば高齢者施設を複数運営している組織があるとする。複数の市や町に施設を持っている場合、代表者の名義変更が生じた場合、その手続きは煩雑になる。ある町に提出すべき書類が、隣の市に提出すべき書類と異なっていたりすることがあるからだ。いわゆるローカル・ルールと呼ばれるものだ。

似たような話は以前からあった。例えば、保育所への申し込みをするときに必要になる「就労証明書」は各企業が作成するものだが、このフォーマットがバラバラだったのだ。そのフォーマットに独自性は要りますか、ということで、標準化されたフォーマットを示す

デジタル庁　地方公共団体の基幹業務システムの統一・標準化

ことになった。

システムも同様で、人口の規模などによって独自に開発された部分はあるにせよ、基礎自治体で行われている基本的な業務は共通したものである。それでも、これまではそれぞれの自治体が独自にシステム調達をして予算を計上し運用してきた。もっとコストは削減したい、どの自治体でも新しいサービスを早く届けることを可能にしたい、住民の皆さんの入力の手間を省いたワンスオンリーのサービスを提供できるようにしたい、最新のセキュリティー対策を導入したい、という希望を叶えるのが「ガバメントクラウド」での地方公共団体の基幹業務システムの統一・標準化である。

基幹業務は以下の20業務である。

住民基本台帳、戸籍、戸籍の附票、固定資産税、個人住民税、法人住民税、軽自動車税、印鑑登録、選挙人名簿管理、子ども・子育て支援、就学、児童手当、児童扶養手当、国民健康保険、国民年金、障害者福祉、後期高齢者医療、介護保険、生活保護、健康管理

これら20のシステムは統一・標準化され、この基幹業務システムを利用する原則全ての地方公共団体が、2025年度までにガバメントクラウド上に構築された標準準拠システムに移行できるように準備を進めてきた。柔軟かつ迅速にインフラを構築できるように、最新のクラウド技術を最大限に活用できるように、ベストプラクティスに基づく品質の底上げと標準化も可能にするように、ガバメントクラウドのコンセプトは作られている。

ただガバメントクラウドはシステムの話だけではない。業務改革をした上でシステム化をしていく、自治体の業務改革（BPR）の話でもあるのだ。ガバメントクラウドへの参加は努力義務だが、基本的には全ての自治体が参加することが期待されている。システムやデータセンターを独自に準備することを考えれば、クラウドの経済性も魅力となるはずである。

さらに、標準仕様については例外なく、これしか使ってはいけないという義務がかかっている。標準化は、災害の多い日本にとってのメリットも大きい。被災した自治体が行わなければならない業務内容には地域による大きな差異はないはずだが、そのやり方が異なっていると、近隣や姉妹都市などの自治体から支援に来た職員がすぐに仕事に取りかかれない問題が起きる。標準化しておけば、すぐに協力体制が取れるし、被災した自治体が他の自治体で業務を継続することも可能である。

もう一点、このガバメントクラウドを進める上で新たな試みを実施したことを紹介しておきたい。それが「0・8版」と呼ばれるものである。地方公共団体情報システム標準化基本方針を示すにあたり、「1・0版」に先駆けて「0・8版」を公開したのである。

行政組織が情報を公開するにあたっては、その影響力の大きさからも慎重さが求められるものである。生煮えの状態で世の中に晒(さら)すことはまずない、と言われてきた。そこを、デジ庁はあえて発想転換させたのである。基本方針を「1・0版」として示す前の柔らかい状態で提示することで、地方自治体のフィードバックを得ることとし、その声に基づいて最終的に練り上げたものを「1・0版」とした。このプロセスにも注目してもらい、今後地方自治体も含めて行政の現場で活用してもらえればと願っている。

第3章

こんなところにあった、日本の強み

先進国のデジタル化の悩みは、実は共通

デジタル先進国であるデンマークやエストニアとはデジタル庁初年度にMOC（協力覚書）を結び、情報交換や将来的な人材交流について具体的に議論を進めてきた。２０２２年５月、エストニア、フィンランドを経て、私はドイツに向かう機内で、これから始まるG７デジタル大臣会合のテーマに思いを巡らせていた。同年のG７はドイツが議長国であり、デジタル大臣会合はデュッセルドルフで開催された。なお、２０２３年の議長国は日本であり、デジタル・技術会合は群馬県で開催される。

G７において、どのような枠組みにおいて、どのような大臣会合が開催されるのか、その中身を何にするのかは、議長国に任されている。「デジタル大臣」会合に日本からデジタル大臣が出席するのは初めてのことであった。なぜならデジタル庁は２０２１年９月まで設立されていなかったからである。

いざデジタル大臣が集合すると、口にするのは「やはりオンラインミーティングよりリアルで集まるのがいいね」という言葉。オフィシャルなバイ会談にとどまらず、朝食・昼食・ティータイム・夕食、移動中と顔を合わせ、通訳を介さずに話をすることで信頼関係が深まっていく。夕食であれば３時間を超えてじっくり意見交換をする。

そのような中で実感したのは、正直なところ、主要国、先進国のDXの難しさであった。エストニアやデンマークなどMOCを結んできた国とG7諸国では、DXの背景に異なる事情が存在していたのである。実際に各国大臣との直接の対話を通じて感じたことを紹介したい。

率直に言えば「先進国のデジタル化の悩みは共通している」という確信だった。相手国を伏せてポイントを列挙するとしたら、以下のようなものになるだろう。

- ●高齢社会、人口減少と向き合いつつ、デジタル人材の不足をカバーしないといけない
- ●他省庁や地方自治体との関係も、協力をお願いしなくちゃいけないが、調整は簡単ではない
- ●準公共分野の取り組みはプライバシーを重視しつつ、いかに広げていくかが課題
- ●既得権益との調整。ここは粘り強くやらなくちゃね
- ●スタートアップの活用は頑張りどころ
- ●中小企業のサイバーセキュリティ対策は目の前に迫った危機でもある
- ●マイナンバー制度やマイナンバーカードの利用はどう進めているか意見交換したい

などなど。

コロナ禍を経験し、医療従事者や関係者といったステークホルダーとの調整や、休校に伴う教育現場の改革は皆経験してきたこと。数百万規模の人口であれば、思い切って新しい施策に舵を切れるだろうが、乗組員の多い巨大な船となると、舵の切り方のタイミングを間違えると惨事になりかねない、という抑制が働く。そこに積み上げてきた歴史の長さと重みが積載される。それでもデジタル大臣は新しい時代の羅針盤を示し、沈没させないように船を漕いでいかねばならない。

一人でオールを持って漕ぐには船が大きすぎるから、賛同者を募り、針路を間違えずに進めるように力を合わせる必要がある。ステークホルダーが多ければ多いほど、調整には時間を要するが、その作業を無視して前に進むことはできない。こうした同じ思いを共有できたのが、デジタル大臣会合であったように感じている。

同時にグローバルな対応も求められるのがG7の責任である。まさにG7デジタル大臣会合が開かれていたのはウクライナにロシアが侵攻して78日目のこと。当然議題は「サイバーレジリエンス」(サイバーセキュリティーのインシデントに対する予防、耐性、および復旧に関わる能力)になってくる。フェドロフ・ウクライナ副首相・デジタル大臣やボルニャコフ・デジタル副大臣もオンラインで参加し、全面的な連帯を示す場所となった。

「ウクライナに対するロシアの戦争への対応におけるデジタルインフラのサイバーレジリエンスに関するG7デジタル大臣による共同宣言」も発表し、ウクライナのインフラに対して破壊的で恐ろしい攻撃がなされていることを非難しつつも、最も困難な状況下で通信ネットワークの機能を維持しているウクライナの功績に賞賛の意を表した。具体的には、「共に強くなる（Stronger Together）」というテーマのもと、サイバーレジリエンスについての議論を経て、インターネットの安全性（eSafety）や中小企業を含めたサプライチェーンも閣僚宣言の要素とした。

さらに、2021年にイギリスでロードマップが、そして2022年にドイツでG7行動計画が取りまとめられた「DFFT（Data Free Flow with Trust）：信頼性のある自由なデータ流通」については、イノベーション、繁栄、民主主義的価値（Democratic Values）を支えるものであることを確認することができた。

実はDFFTは日本発のコンセプトである。2019年1月、ダボス会議で安倍晋三総理（当時）が発表した「プライバシーやセキュリティ・知的財産権に関する信頼を確保しながら、ビジネスや社会課題の解決に有益なデータが国境を意識することなく自由に行き来する国際的に自由なデータ流通の促進を目指す」というコンセプトであり、安倍総理の言葉を借りれば「G20大阪サミットを世界的なデータ・ガバナンスが始まった機会として、長く記憶される場としたい」という宣言でもあった。いよいよ日本が議長国となる２０２３年のＧ７で具体的なユースケースが示されることに、大きな期待が寄せられていることも感じた。

もう一点、サイバーセキュリティの話も紹介しておこう。「日本のサイバーセキュリティはマイナーリーグ」という発言がアメリカの関係者から発せられたことがあり、「日本のサイバーセキュリティは弱いのだ」と思っている人も多いことだろう。この分野は、完璧な防御ができればおしまい、というものではなく、常にアップデートし続けなければいけないことは言うまでもない。

安全保障分野で日本のサイバーセキュリティのレベルアップは、同盟国、有志国も重視している項目であろう。医療機関がサイバー攻撃を受けて身代金を要求されるといったニュースも報じられている。自動車産業のような関係企業が多い産業では、サプライチェーンを意識したサイバーセキュリティを構築しておかねばならないことも痛感させられている。人材育成も当然課題となっている。体制強化もしかり。やるべきことリストに多くのことを記載してきたが、海外からの様々な評価を正確に紹介しておくことも務めであろう。

２０２１年９月、今後３年間に取るべき諸施策の目標や実施方針を示した「サイバーセ

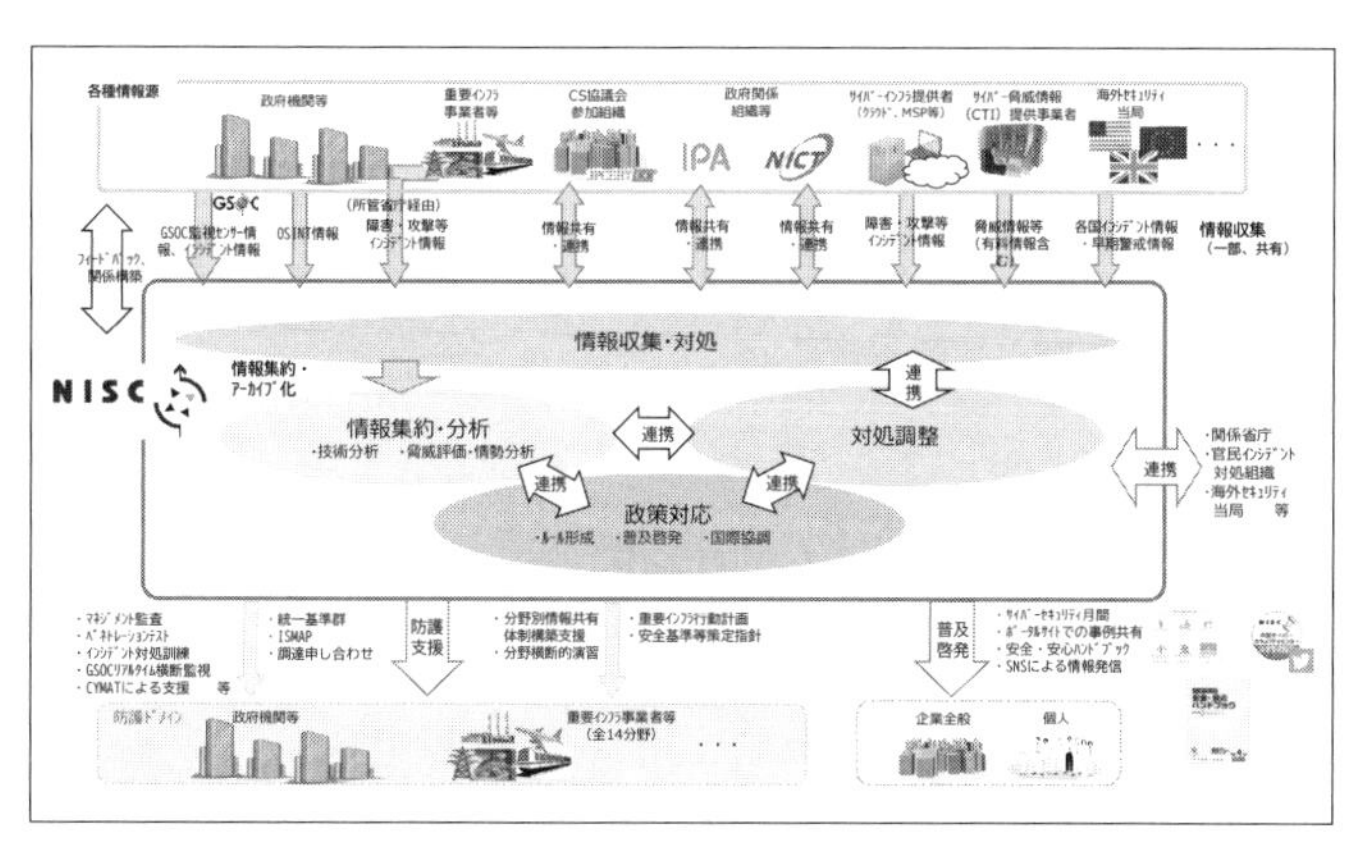

出典：NISC
情報集約・分析、対処調整、防護支援と関係者間の連携が欠かせない

キュリティ戦略」が策定されている。この戦略では、サイバー空間が公共化する中、あらゆる者がサイバー攻撃の標的となり得るなど、サイバー攻撃の脅威が急速に深刻化しているとの認識の下、政府機関や重要インフラ事業者をはじめ、あらゆる主体のサイバーセキュリティ対策の強化を図り、「自由、公正、かつ安全なサイバー空間」を確保すべく、「誰一人取り残さないサイバーセキュリティ（Cybersecurity for All）」の実現に向けた取り組みが必要であるとしている。

また「デジタル・トランスフォーメーションとサイバーセキュリティの同時推進」、「公共空間化と相互連関・連鎖が進展するサイバー空間全体を俯瞰した安全・安心の確保」、「安全保障の観点からの取組強化」の３つの方向性に基づいて施策を推進し、「自由、公正、かつ安全なサイバー空間」の確保を目指すこととしている。さらに、インシデントの未然防止の観点から、NISC（内閣サイバーセキュリティセンター）を中心として関係する各政府機関のリソースを結集し、インシデント対応から政策的な措置までを一体的に推進するナショナルサートの取り組みをはじめ、関係者間の連携を加速してきた。もちろん価値観を共有する諸外国との緊密な連携も不可欠だ。

また、重要インフラは国民の生活を支える重要なサービスであるが、我が国の重要インフラサービスは、世界でも極めて高いサービス水準にある。例えば電力分野においては、1需要家当たりの年間停電時間は2分（参考までに、同じ統計では米国は1時間17分）。鉄道分野においては、例えば東海道新幹線は平均の遅れ時間が1分未満であるなど、高い定時性と安全性を誇っている。

これは様々な対策によるものだが、重要インフラのサービスにおいてIT技術が多く活用されていることを鑑みると、サイバーセキュリティ対策によるものも相当部分を占めている。電力、ガス、情報通信などの特定の重要インフラ分野において、法令で安全基準を定め、サイバーセキュリティを確保するよう義務づけており、またサービスが停止した際の報告義務を設けている。このような取り組みを通して、重要インフラの防護能力を高めている。

ドイツ、イギリス、イタリア、カナダ、EU、OECDの代表者らと、G7サミットにて

セキュリティ対策が求められる重要インフラは14。情報通信、金融、航空、空港、鉄道、電力、ガス、政府・行政サービス、医療、水道、物流、化学、クレジット、石油であるが、その備えのレベルは正直同じではない。医療などに課題があることは実感が伴うものである。しかし、世界に出ればお褒めの言葉もいただく。

それは「東京オリンピック・パラリンピックはよく守り切りましたね」というもの。2021年へと延期された東京オリパラは、当然ブラックハッカーにとって格好のターゲットとなる平和の祭典である。ロンドン・オリパラでのサイバー攻撃の回数は2億回以上、そして東京大会での回数は4億5000万回と、ロンドン大会の2倍

ドイツ連邦共和国フォルカー・ヴィッシング大臣からG7議長国のバトンを引き継ぐ

であった。それでも守り切った、というのが世界の評価である。G7の大臣が向き合うテーブルで「ロンドンの教訓を東京は生かした。東京の教訓は、この後2024年パリに、2026年ミラノに、2028年ロサンゼルスへと分かち合っていく」という話をイギリス、フランス、イタリア、アメリカの代表者に向けて伝えた。

これは、オリンピック・パラリンピックにとどまらない。サッカー・ワールドカップであっても、もしかしたら万博であっても、もちろんG7であっても、サイバー攻撃を受ける可能性は否めない。そこを安全に守り切り、イベントを成功裡に終えることができるかどうかに各国が注目している。そしてインシデント対応に向けて、即座に誰とどのように情報を共有することができるのかが今後ますます重要になってきている。

Ｇ７のようなマルチの枠組みは機能するのか、もはやリーダー不在のＧ０（ゼロ）の時代に入ったのではないか、といったことが、かつてアカデミアで話題になったこともあった。しかし、初のＧ７参加を通じて、改めて私はＧ７の重要性を実感した。ウクライナ侵攻という緊迫した世界情勢の下での開催だったこともあるが、同志国との連帯を世界に示すこと、そしてＧ７国家としての責任を果たしていくことを約束する場がＧ７大臣会合なのだろう。細かい文言の交渉も含めて協議を経て採択された閣僚宣言は重いものであり、次の年に引き継がれていく。

日本はアジアで唯一のＧ７国家だ。アメリカ・カナダから見える世界、イギリス・ドイツ・イタリア・フランスから見える世界、それぞれに共通項も違いもあるが、そこに日本が参加している意義は大きい。

特に２０２２年のＧ20議長国はインドネシアであり、Ｇ７諸国の中ではロシアと同じテーブルにつくべきかがテーマともなっていた。Ｇ20議長国にはメンバー国を「招待しない」という選択肢はない。リアル、オンラインいずれであってもＧ20ではロシアが出席する可能性はある。そのことを好ましく思わない国があった場合でも、Ｇ20のルールに則（のっと）って全ての国を招待したインドネシアをサポートする国も必要になってくるだろう。実際に４月20日にワシントンで開催されたＧ20財務相・中央銀行総裁会議では、ロシアの発言時に退出したアメリカ、イギリス、カナダの代表者と、日本のように退席しなかった国とで判断が分かれていた。

日本の鈴木俊一財務大臣は退席しなかった理由として、軍事侵攻を直接非難するためであったこと、そしてロシアの発言以降も感染症や気候変動の議論が続くためであった、と述べている。ただ翌日開かれたＩＭＦ加盟国によるＩＭＦＣ国際通貨金融委員会では鈴木大臣をはじめ出席していた24人の委員の大半が、ロシア側の発言時に退席したと報じられている。

日本として、Ｇ20議長国としてインドネシアの努力に敬意を表し、連携していくことは重要だ。ＡＳＥＡＮ（東南アジア諸国連合）と日本の協力関係は40年以上にもわたる、アジア地域の平和と安定、発展と繁栄に不可欠のものである。当然、ビジネスパートナーでもある。インドネシアを孤立化させるわけにはいかない。Ｇ７で唯一アジアから参加している国、日本として、アジア諸国の思いも他の大臣へ伝える責務を感じていた。

振り返れば、１９９８年から２０１３年まではＧ８が開催されていた。Ｇ８サミットが停止したのはロシアの行動が理由だ。クリミア半島掌握を非難したＧ７首脳陣は、２０１４年ロシア・ソチで行われる予定であったG8サミットを中止し、会場をベルギーのブリュッセルに変更することとし、以下の通りハーグ宣言を取りまとめた。

「このグループは、共有された信念と共有された責任ゆえに集まった。この数週間におけるロシアの行動は、これらの信念及び責任と整合的ではない。このような状況の下、我々は、計画されていたソチ・サミットには参加しない。我々は、ロシアがその方向を変更し、G8で意味のある議論を行う環境に戻るまで、G8への参加を停止し、また、我々は、共に抱える幅広い課題について議論するため、当初予定していたのと同時期、2014年6月に、ブリュッセルで、改めてG7の形式で会合を開催する。我々はまた、我々の外相に対し、モスクワでの4月の会合に参加しないよう助言した。加えて、我々は、共同のエネルギー安全保障を強化する方策について議論するため、G7エネルギー大臣会合を開催することを決定した。」*1

G8が停止してから10年がたとうとしている。再開のめどは立たない。

コツコツと地道に更新する作業にリスペクト

G7デジタル大臣会合で一番敬意と質問を受けたのは、ズバリ「デジ臨」（デジタル臨時

*1 外務省ホームページ 経済外交 ハーグ宣言 オランダ ハーグより抜粋
https://www.mofa.go.jp/mofaj/ecm/ec/page24_000231.html

行政調査会）の取り組みであった。デジ臨の意義はデジタル・規制改革・行政改革を一体で進めるところにある。私自身、デジタルは平井大臣から、行革・規制改革は河野大臣から引き継いで併せて担当することになった。DXを本当に実現させていくには、行政改革、規制改革も併せて三位一体でなければならない、というのは、党内でデジタル政策を議論してきたときにも、ずっと主張してきたことだった。これまでになかった担務の組み合わせが持つメッセージは強烈だったと感じている。

コロナ禍で悪名を轟かせた「判子問題（判子を押すためだけに会社に行かなくちゃならない問題）」を一斉点検法改正で改革したのである。この方式を日本のアナログ規制撲滅に採用しよう、としたのがデジ臨であった。判子問題も解消し、リモートワークも可能になった。それでも、出社しなければならない。それはなぜか。「対面」でなければダメ、「常駐」が求められる、「目視」が必要と書かれている、そうした理由でリモートワークが中途半端なものとなってしまっていたのだ。

では日本にはテクノロジーがないのか、と言えばそんなことはない。ドローン、カメラ、センサーといった技術は存在している。使えるはずの技術を使えない理由が法令にあると分かった以上、法改正を視野に動くことになった。こうして潜在力を生かせるはずの場所でストッパーになってしまっている法律・政令・省令・告示・通知・通達・ガイドラインを判子のときと同じように一斉点検をして一気にデジタル原則に置き換えていく作業は、あたたかい改革であったと思っている。

「改革」と聞くと、何かを削ったりと、痛みが伴うというイメージが先行しがちだが、目指していたのはむしろ不必要なものを取り外して、テクノロジーの活用を促すものであった。一括見直しとして提示したのは7つ。「目視規制」「実施監査」「定期検査」「書名掲示」「常駐専任」「対面講習」「往訪閲覧」である。

デジタル臨時行政調査会が示した「アナログ規制をデジタルに」というのは大改革であるが、デジタル化を阻害するあらゆる規制の点検・見直しを進めることで日本社会の構造改革が実現できるという思いもあった。デジタル化を促進すれば、経済成長、所得の向上などを図ることも可能となる。

G7諸国から感嘆の声が上がったのは、日本が覚悟を決めた作業の徹底ぶりである。これから〝新たに〟作られる法案をデジタル原則になっているかチェックする方法であれば、ドイツでも「デジタル・チェック」という表現で実現しようとしている。しかし「過去に作られた法律、通知・通達に至るまで全て改正する、というのはあまりにも膨大な作業になり、やり切れないという判断をするのが普通だ」と考えられていた。そこを「やり切る」

アナログ規制に関する点検・見直しの現状

「7項目のアナログ的規制」及び「FD等の記録媒体を指定する規制」
に関する法令約9000条項について方針確定

・目視………………2853条項の方針確定　・実地監査……………74条項の方針確定
・定期検査・点検…1036条項の方針確定　・常駐・専任………1058条項の方針確定
・対面講習…………217条項の方針確定　・書面掲示…………768条項の方針確定
・往訪閲覧・縦覧…1421条項の方針確定　・ＦＤ等記録媒体…1602条項の方針確定※1

⇒　合計………………9029条項（9029/9125条項＝約99％※2）の方針確定

※1　ＦＤ等に係る政省令については、今後所管省庁との調整開始予定であるが、法律の規定に関する調整状況を踏まえればその多くについて合意ができる見込み
※2　詳細は、目視（2853/2933条項）、実地監査（74/74）、定期検査・点検（1036/1036）、常駐・専任（1058/1062）、対面講習（217/217）、書面掲示（768/770）、往訪閲覧・縦覧（1421/1431）、FD等記録媒体（1602/1602）

➡ 年末に２年間で見直す工程表を策定・公表

○　第４回デジタル臨調（６月３日）の段階では、その時点で「７項目のアナログ的規制※」に該当するとされた約5000条項中、約4000条項について方針確定。今回、当該5000条項はもとより、各府省が追加で提出等した約2000条項についても、その大宗について方針確定しており、ＦＤ等の記録媒体に係る見直しと合わせると、上記の状況になる。
※　アナログ的規制：目視規制等に関する法令等の規定等のうち「構造改革のためのデジタル原則」に適合していないもの（以下「アナログ規制」という。）

○　残りの１％分の条項は、立入検査の一連の業務のうちデジタル化する項目について各府省から断続的に追加があるもの、常駐・専任について技術の進化と業務実態を踏まえて最終的な調整を行っているもの、書面掲示、往訪閲覧・縦覧等でプライバシー（個人の住所や略歴の取扱い）の配慮が必要なもの等であり、年末までには方針確定見込み。

○　７項目のアナログ規制に該当する通知・通達等について、事務局と各府省において洗い出しを実施し、合計約3000条項（2022年10月27日時点。各府省との調整により増減の可能性あり）。

○　早期に見直しが可能な通知・通達等については、本年中に見直しを実施。その他の通達については、来春を目途に見直し方針を確定させた上で、速やかに見直しを実施。

出典：「デジタル原則に照らした規制の一括見直しの進捗と取組の加速化について」（2022/10/27 第5回デジタル臨時行政調査会　河野太郎）

と日本は高らかに宣言したのである。

デジ臨で策定した「デジタル原則」を実現させれば、目視や常駐が求められていた検査や点検をカメラ、センサー、ドローンに置き換えていくことも、ＡＩで画像処理をすることもできるようになる。人手不足に悩む現場を救う手立てとなると同時に、新たな成長産業を生み出すきっかけにもなる。

なお、洗い出し作業を行った結果、当初5000とされていた条項が約1万にまで積み上がった。これは経済界からの要望が多く集まってきたということと、所管省庁が自ら点検することでデジタル原則に転換させる項目を整理したことの効果である。作業の進め方として、まずはデジタル庁で整理をし、各省庁と付き合わせる。そのプロセスを回して

いるうちに、各省庁が自ら洗い出しを行うようにもなった。それぞれの法律、省令などを一番熟知しているのは、所管している省庁だからである。それらに対して、デジタル庁の職員が、まさしく膝詰めで「どのテクノロジーに置き換えられるか」といったことをしっかりと議論しながら、地道にコツコツと積み上げてきた成果である。

「アナログをデジタルにする」と一言宣言して、一斉に色を塗り替えるような作業の仕方は取らなかった。デジタル庁が進むべき方針を決め、一つひとつ各省庁と丁寧に作業を進めてきたからこそ、各省庁が自分ゴトとしてデジタル化を考えてくれるようになった、1つの事例とも言えるだろう。

デジタル原則に関して具体的な事例を挙げておこう。例えば「目視規制」については、

●橋梁・トンネルなどの点検を「目視」に限っていたのが「フェーズ1」
●カメラ、センサー、ドローンなどにより、「遠隔」での点検も可能とするのが「フェーズ2」。フェーズ2では、現場に行くことが不要に
●「フェーズ3」では、画像データを「AI」により認識・分析することで、より精緻な診断や「自動化・無人化」が可能に

こうして、類型ごとに、どのような状態が各フェーズに該当するのかを整理している。

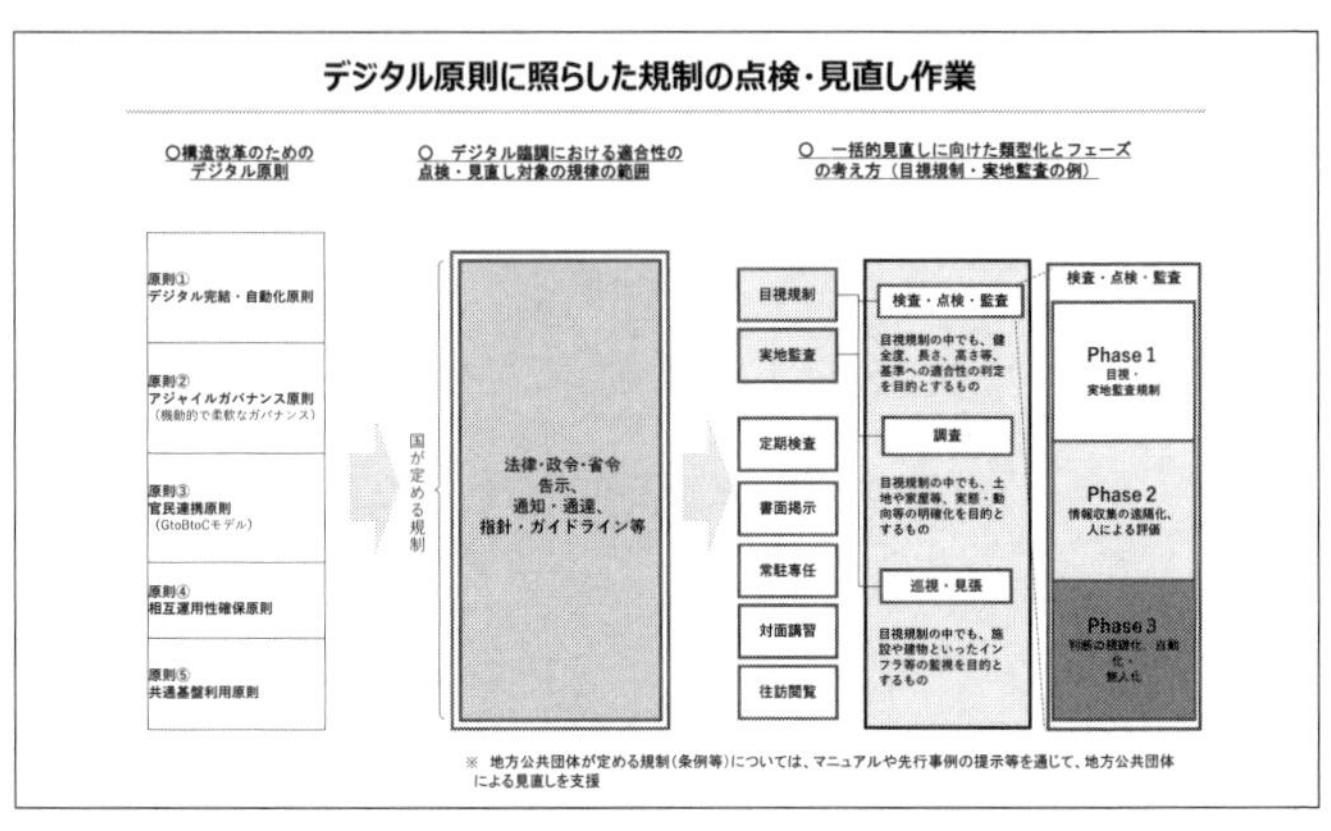

出典：「デジタル原則に照らした規制の一括見直しの進捗と取組の加速化について」（2022/10/27 第5回デジタル臨時行政調査会　河野太郎）

そして、どのような課題をクリアするために、どのような技術が活用可能か、置き換えができるのかを整理しマッピングした「テクノロジーマップ」を提示した。

　このテクノロジーマップには「デジタル技術カタログの例」をつけている。これが肝である。置き換え可能かどうか分かったとしても、アクションに結びつかなければ意味がない。どの企業の、どの技術がどのようなもので、どこに活用例があり、連絡先はどこなのか、という表記まで入れる。これにより、事業を実施する側も、求める情報にアクセスしやすくなるし、大企業からスタートアップに至るまで様々な企業・ベンチャーが保有する技術の活用が促進される。そして、技術の進展や新たな成長産業の創出も見込まれる。どこに新たな成長産業が創出されるのかが具体的に見えてくることで、スタートアップの支援にもつながるものと考えている。

余談ではあるが、コロナ禍で国会見学をオンラインで行ったことがあった。小学生に「デジタルと聞いて身近に感じること」を聞いてみた。「YouTubeとかeスポーツとか」まさにデジタルが毎日の生活の中にある世代の答えである。

そんな子どもたちに質問してみた。「古くなったトンネルの点検ってどうやったらいいと思う?」。答えは「ドローンを使えばいい」。まさにデジ臨でやろうとしていることは、今の小学生にとっては「当たり前」であり、この子どもたちが社会に出るまでに「当たり前」を使いこなせる社会にしておかなければならない、と痛感した場面であった。

デジタル庁は思い切って約1万の見直し方針を決めた。2年間の集中改革期間を設定した。法律・政令・省令・告示・通知・通達・ガイドラインをデジタル原則に置き換えていく。

しかし、それで終わりではない。この国には条例がある。都道府県が、市区町村が条例を作っている。この条例を国が書き換えることはできない。条例を制定した自治体自らに改正してもらうことが期待される。デジ臨では、地方公共団体におけるアナログ規制の見直し手順や地方公共団体による先進的な取組事例などを含むマニュアルを作成・公表し、自主的な取り組みを支援することを決めた。

デジ臨には福岡市の高島宗一郎市長にメンバーとして参画してもらっていた。参考までに第3回デジタル臨時行政調査会の資料を紹介しておこう。

高島構成員：福岡市からなのですが、今、国のほうでデジタル原則への適合に向けてアナログ規制7項目について、小林副大臣を中心に法令を総点検していただいていると思いますが、地方自治体に当てはめたらどうなるかというのを、福岡市は独自に条例を総点検しました。そうしたところ、400本ある条例のうち31本のアナログ規制に該当する項目があったのですが、単独で見直せるものは実は1割未満で、9割以上は国の規制においてアナログでやらなければいけないとなっていることが分かりました。具体的に言うと、例えば、省令に従って条例で定めるとなっているため、国の法令が変わらなければ見直しができないというようなものです。単独で見直せるものは1割未満ですが、福岡市でできるものは早速見直しに取り組みます。今後、法令はもちろん国のほうで地方への通知も含めて見直していただくことが地方のデジタル化に向けた一番の後押しになると思いますので、この取組は総理のリーダーシップに期待するものでございます。

（以上、議事録より）

Ｇ７でも「地方に国の施策を進めるための得策がないか」と他国の大臣も課題として頭を悩ませていることが分かった。「これ」といった得策はないのかもしれないが、デジ臨という会議体には、関係大臣や専門家だけではなく、自治体の首長が参画してくれており、総理の前で現場の声を披露してくれていること、必要に応じて会議終了後に官邸でメディアの取材に応じていることなどを紹介した。私たちにとって「普通」となった官邸での会議の様子も、他国にとってはヒントとなるものであったようだ（考えてみれば、１つのトピックをブレイクスルーさせるために、ホワイトハウスで行われる会議において大統領と一部の州知事が参画するスタイルは想像がつかない）。

それでは、日本の社会はどのように変化していくのだろうか。例えば、河川・ダム、都市公園などであれば、１級・２級河川の総延長12万３９４８㎞、都市公園11万１５２５カ所（いずれも２０２０年）の巡視・点検の手法が変わる。基本目視で実施されてきた11万以上の都市公園や12万㎞を越える河川に人が出向かなくても、ドローンや常時監視、水中ロボット、画像解析などを活用して、インフラ管理の効率化・高度化、安全性の向上を図る化を検討することになる。

ことが可能になる。また、地震など災害に見舞われた自治体が交付する罹災証明書も、民間事業者との連携やＡＩなどの解析・評価技術を活用して、判断の精緻化、自動化・無人化を検討することになる。

現時点でも、航空写真などを活用した調査は可能となっているものの、ＡＩなどの解析・評価技術の活用可否については明確になっていなかったため、これまで多くの地域で、被害の程度を確認するために一軒一軒写真を撮影し、情報を精査し、罹災証明書を発行してきた。これでは被災者の早期の生活再建にはつながらない。災害大国だからこそ、ＡＩなどによる解析や評価の精度を高めておきたい。

定期検査・点検の見直し案として紹介したいのが、消火器具、自動火災報知設備の定期点検だ。対象件数は、消火器具設置施設98万９６２６件、自動火災報知設備設置施設62万９５４３件（２０２１年3月末）という数に上る。例えば、デパートやホテルで消防設備士などが行う点検は6月に1回実施することとされている。しかし、常時監視機能のテクノロジーや自動チェックの技術を取り入れることで、点検作業の効率化や点検費用の削減を図るだけではなく、防火安全性も高いレベルで確保できるようになる。

他にも、常駐・専任規制が見直されれば、人手不足に悩む介護サービス事業者の助けにもなるはずだ。利用者のサービスに直接関わらない業務については、テレワークも可能になるであろう。介護サービス事業所・施設数は約31万存在している。

さらに、警察などに届けられた落とし物の扱いも変わる。これまでは都道府県警察ごとに遺失物関係システムを整備しているため、県を跨いだ物件検索ができず、遺失届は警察署などへ来訪して自署することが原則とされてきた。今後は全国統一システムによって、物件検索、遺失届のインターネットでの提出が可能になる。警察の業務負担やコストも削減される。

これまでもあらゆる規制改革についてピンポイントで1つずつ対応してきた。しかし、デジ臨では「点の改革」のみならず、横断的な見直しである「面の改革」を断行することにした。そして、個別の要望への対応である「要望ベースの改革」のみならず、改革の効果である技術力の向上についても念頭に置いた「テクノロジーベースの改革」も実施する。そして、現在の法令の見直しである「現在の改革」のみならず、将来の法令がその時代の技術に適合できるような仕組みを構築する「将来の改革」も進める。

「面の改革」「テクノロジーベースの改革」「将来の改革」の3つが一括見直しの特徴である。関係する産業は多岐にわたる。現場の人手不足を解消したい建設業界、介護業界、医療機器業界にとっては常駐の縛りから解放され、遠隔での管理が可能になる。建物の所有者、管理者、温泉関係者、工事、事業場などの関係者にとっては定期点検や定期測定の対応から解放され、常時監視によって効率化、簡素化を実現できる。

百貨店、工場、病院、映画館などの施設関係者は防火管理者に対する講習を、社用車を有する事業関係者は安全運転管理者などに対する講習を受けなければならないが、アナログで煩雑であった講習の手続きが申し込み、支払い、受講、証明書受理までデジタル完結されれば、だいぶストレスが軽減されるはずだ。建設業界、不動者業界、ホテル業界、介護業界、農業関係者が台帳や事業計画を確認するとき、重要事項を掲示するとき、ネットから確認できるようになれば、場所を問わず情報を得ることも示すこともできるようになる。それぞれに法律や政令があり、所管省庁がある。デジタル庁が全ての法律、施策を所管しているわけでは当然ない。だからこそ、全ての省庁と共に作業を進めることとした、このプロセスは実に重いものだ。関わってきた全ての人の努力に敬意を表したい。

経済界からの要望はまだまだ届いている。技術の革新も進むだろう。揺るがぬデジ臨の哲学を持って、人口減少高齢社会でも課題解決に取り組むことができる、日本ならではのモデルを世界に発信していきたいと思う。

田舎にこそドローン配達

スーパーシティやスマートシティ、地方創生という文脈も絡まって、〇〇シティが乱立しているが、（デジ臨と共に）世界にプロモーションできるのが「デジ田」である。英訳では「デジタル・ガーデンシティ」。一言で言えば、デジタルの力を基礎とし、地域の特性を生かして自立分散型社会にシフトしていくものだ。

「デジタル・ガーデンシティ」。この響きのインパクトは強く、外国の要人は漏れなく関心を示すが、一番リアクションが大きかったのはやはりイギリスだ。日本では大平正芳元総理の「田園都市構想」を思い浮かべる人が多いだろう。「都市に田園のゆとりを、田園に都市の活力を」という構想の実現を通じて、地域の個性を生かそうとするものであった。

イギリスでは1898年に近代都市計画の祖とも言われるエベネザー・ハワードが「田園都市」の構想を提唱したと言われている。それは、地方と都市の双方の魅力を兼ね備えた自然豊かな街づくりの構想として後世に引き継がれ、後に他の国でも参考にされるようになる。「ガーデンシティの本家はイギリス」という自負があるので、そこに「デジタル」を付けた日本の現代版のガーデンシティに興味をそそられるのも当然のことだろう。

「ガーデンシティ」のイメージを掴んでもらうために、私は中山間地域で一人暮らしをしている高齢者を想像してもらうようにしている。病院に行くにも運転免許証を返納してしまって苦労している。バスの本数もめっきり減った。買い物に行っても重い荷物を運ぶのはしんどくなってきた。そんな高齢者でも住みなれた場所に一人で便利に暮らし続けようとしたら、デジタルの力が必要である。地域活性化こそデジタル、地方こそテクノロジー、田舎こそドローン配達である。

「ドローンが新鮮な牛乳と卵と新聞を届けてくれる」。それが実現できるのが「デジタル・ガーデンシティ」の一つの形と説明すると、高齢化率が今後上がってくる国々にとってはまさに学びたい事例となる。地方創生は私自身大臣政務官を務めたが、２０１５年、２０１６年の頃に既にＡＳＥＡＮ諸国から地方創生の取り組みや高齢社会への備えを話してほしい、というリクエストは多く来ていた。都市と地方の格差の問題を抱える国へ輸出する概念として、デジ田は位置付けられるべきものと考えている。

デジ田構想が目指すのは、単なる東京のスモールコピーではない、ということは強調しておきたい。地域の豊かさをそのままに、都市と同じ、または違った利便性と魅力を備えた、活力溢れる新たな地域づくりである。基本方針に基づき約１０００カ所を認定することとしてスタートし、２０２２年３月には、４０３の自治体におけるデジ田交付金事業

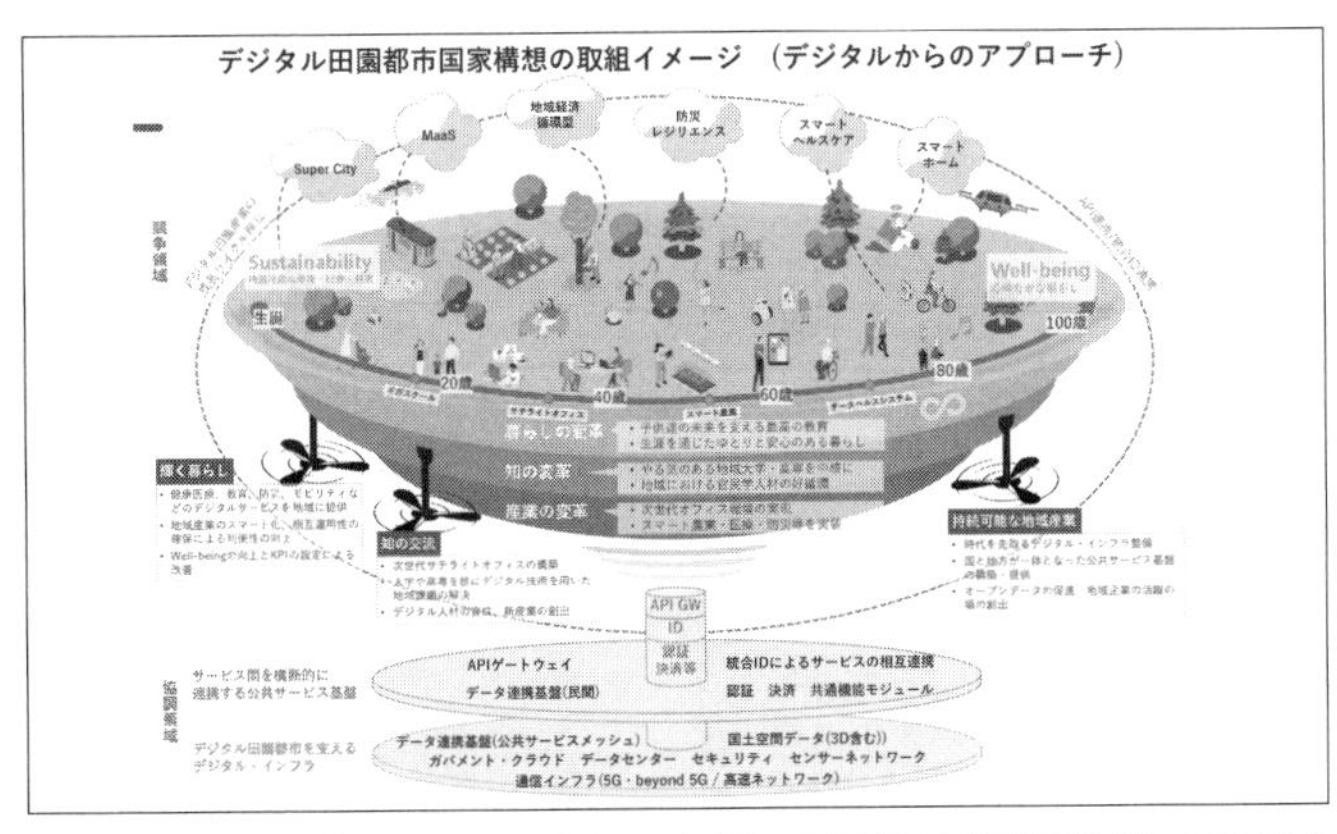

出典：デジタル庁「デジタルから考えるデジタル田園都市国家構想」第一回デジタル田園都市国家構想実現会議（令和3年11月11日）デジタル大臣 牧島かれん

TYPE1を約７００件採択。「デジタルを活用して地域の課題解決や魅力向上に取り組む団体」としての地方自治体の総数が約７００を超えてきた。これは１０００カ所に達したら終わり、という事業ではないと考えている。地方創生計画が今後全ての自治体で「デジ田計画」（地方創生×デジタル）になっていくだろうと想定しており、全国各地で取り組み内容には違いがあれど、デジタルを基盤とした地域づくりが標準になるだろう。

キーワードはSustainability（サステナビリティ＝持続可能な環境・社会・経済）とWell-being（ウェルビーイング＝心豊かな暮らし）にある。産官学はもとより市民をも巻き込み、地域の仕事や暮らしの向上に向けて取り組むコミュニティを再設計する総力戦が求められる。

アプローチは様々だ。スーパーシティの素地がある地域もあれば、交通インフラの改善が課題の地域もある。スマート農林水産業、ヘルスケア、防災テックに至るまで地域の課題、または得意分野を生かすアプローチを取ることができる。人の一生に置き換えれば、生誕で役所に届出をするところから始まって、死亡・相続といった憂いなき最期まであらゆる手続きと共に人は生活している。学生であればGIGAスクールやオンライン授業、社会人であればサテライトオフィスなどの環境が整っているかが、その町が選ばれるかどうかの基準にもなるだろう。

遠隔医療のサービスが利用できるか否かも重要だ。5Gのインフラや公共Wi－Fiなどの設備は国の責任として地域格差が無いよう進めつつ、そのデジタル基盤の上にどのようなサービスを作り上げ、全国どこでも誰もが便利で快適に暮らせる社会が実現できるかに今向き合っているのだ。

地方創生を進める中で、プロジェクトを企画立案する専門家が地域を支えてくれたこともあるだろう。コンサルティング会社が企画書を代筆してくれたこともあっただろう。交付金などを活用して国からの財政的な支援も得てきたことだろう。こうしたことは、最初の一歩のきっかけであっても、自走する力が地域に身につかなければ続かない。二拠点居住を選んだ人や関係人口となっている人々は、何をその地域に期待しているのだろうか。教育や医療の質を都会と比べて、その町を去ってしまった人はいなかっただろうか。地域の魅力はどこにあるのか。それは課題があるからこそ、課題解決に取り組みたいと思う人々を惹きつける力があるということではないのか。

デジ田に取り組もうとする自治体や関係者の皆さんに問いたいのは、あなたのその地域では、「自由に思い切り自分の力試し、力磨きができるような場を提供できているだろうか」「実践の場として使ってほしい、というメッセージを出せているだろうか」「出番を待っている人を生かせているだろうか」「SDGsの具現化にこそ地方を活用してもらっているだろうか」といったことである。こうした論点でデジ田のプロジェクト群を組成すれば、持続可能で心豊かな暮らしにつながっていくように思う。

私たちに残された時間はそう長くはないのかもしれない。2021年の人口動態統計を見ると、人口減少のスピードは予測より5～6年速く進んでいる。2021年の出生数は過去最少の81万1604人、死者数約144万人と差し引きすると約63万人が減少したことになる。このトレンドで推移すれば、戦後7000万人からスタートした日本は、再び7000万人の国に向けて進んでいくことになる。人口が増え続けた昭和の時代は、生産性の低い第一次産業から生産性の高い製造業へと労働人口が移動することで、全体の労働生産性も上がっていった。しかし、設備投資の進んだ製造業が、均質かつ良質な労働力を目一杯吸い込むモデルは令和には存在しない。成長を担うべき創造性と多様性にあふれた新たなサービス業の伸びが、日本の未来を切り開くものであろう。

しかしサービス業は労働集約的なものが多く、労働生産性の伸びが低い。ここを改善しないと、売上アップを賃金アップにつなげることができない。しかも、地方でサービス業に従事している人が多いことから、人口減少局面にある地方の中小企業、サービス業のＤＸが進めば、力強い未来を実感できるはずだと確信している。

昭和の時代は、バス停でバスを待っていれば時刻通りにやってきた。通勤・通学の時間帯であれば、仮に満員でそのバスに乗れなくても、５分も待てば次のバスがやってきた。供給されたサービスであるバスの時刻に合わせて、需要がその場所に立って待っていたのである。

しかし、いまや需要はあっても、バスの運転士確保もままならないし、以前と同じ時刻表では運行できない。免許証を返納した高齢者や幹線道路から離れた宅地に住んでいる人の移動手段を確保する手立てとして出てきたのが、需要にきめ細かく対応するオンデマンドバスなどのサービスである。

それなら既に始めている、という地域もあるだろう。しかし、デジ田でもう一歩深掘りができないだろうか。オンデマンドバスは行政のサービスとして助成されていることが多いだろうが、民間でも経営が成り立つ方法を模索するとしたら、どのような工夫が必要だろうか。需要動向を把握するためのデータは揃っているだろうか。

中山間地域で一人暮らしをしている高齢者に再び登場いただこう。実は、この中山間地域には、少し離れたところに中学生がいる子育て世帯が住んでいた。中学生が塾やプールに通うとき、家族が毎回送り迎えをしなければならず負担になっていた。高齢者が病院に行くためのサービスとしてスタートしたオンデマンドバスを、幅広い世代が活用できるものとして生かす方法は考えられないだろうか。

高齢者のお買い物補助として、街の商店街が配達サービスをしていたとする。お米やみりんといった重いものを自分で運ぶのは難しく、配達をよく使っていた。中学生のいる家庭でも、ビールの配達サービスを活用することがあった。商店の側に立つと、高齢者の家へ配達に行き、山から戻ってきたと思ったら電話が鳴ってまた山を登る、というようなことが続くと、負担を感じるかもしれない。効率的なサービスの提供が可能となるデータがあれば、当然生産性も上がってくる。この先の未来を想像すれば、自動運転、自動配送ということになるだろう。だから「地方こそデジタル」なのである。

そして、民間のおもてなしやホスピタリティに支えられてきたサービス部門を投資を回収できるものとして、持続可能なサービスにしていくデータ活用、システム構築を推進していく。さらに言えば、高齢者が遠隔医療や電子処方箋を活用できるようになったら、病院に行く回数は減るだろうし、中学生が塾のオンライン講座を活用するようになったら、移動にかかる時間を短縮できるだろう。そのためには公共Ｗｉ－Ｆｉを設置することも必要であろうし、公民館をデジタル時代にふさわしい公民館としてアップグレードさせておくことも大事だろう。

「デジタル公民館」に求められる３種の神器として「スマートロック」「Ｗｉ－Ｆｉ」「スマート会議室」を挙げ、デジ田でも活用を促してきた。公民館の鍵は公民館長が持っている地域も多いが、急な豪雨で公民館に避難しなければならなくなったとき、公民館長が不在であれば公民館を開けられない。実際に災害に見舞われた地域での話である。

スマートキーであれば遠方からでも、または公民館長以外の人でも開けられる。Ｗｉ－Ｆｉ付きの会議室があれば、放課後学習にも活用できるだろうし、関係人口のリモートワークスペースにもなるだろう。デジタル公民館とコミュニティづくり、地域交通や配達サービスのデジタルインフラ、病院の枠を超えた地域診療インフラ、学校の枠を超えたデジタル教育インフラなど、そこに暮らすあらゆる人の生活に寄り添ったモデルを考えることが可能である。そして、その最終ゴールはWell-being、すなわち心豊かな暮らしである。

しかし、なぜこのコンセプトが機能しづらかったのか。地域交通のデジタル化の取り組みはMaaS（Mobility as a Service）として、医療のデジタル化は医療関係者の間での議論によって、教育であれば教育委員会で、といったように、バラバラで進められてきたからではないだろうか。役所の担当窓口が、交通、医療、教育と分かれて、それぞれだけでデータを持っている状態なのはもったいない。中山間地域に住んでいる人々の課題、という生活に密着した単位で考えてこそ、街づくりにつながるはずだ。

オンデマンド配車や自動走行車両をはじめとした新たな交通システムが、通院の難しい高齢者や救急患者を運ぶ。この仕組みが移動手段のない子どもたちの通学や子育て・介護を手伝う人の足になる。こうした絵を描くことを推奨しているのがデジ田である。役所のそれぞれの部署が高齢者の移動の満足度といったKPIを独自に設定して管理するのではなく、Well-being指標という大きな目標を可視化して進めていこうとするものである。

しかし指標作りを各自治体で取り組もうとすれば時間もかかるし、手間にもなる。そこ

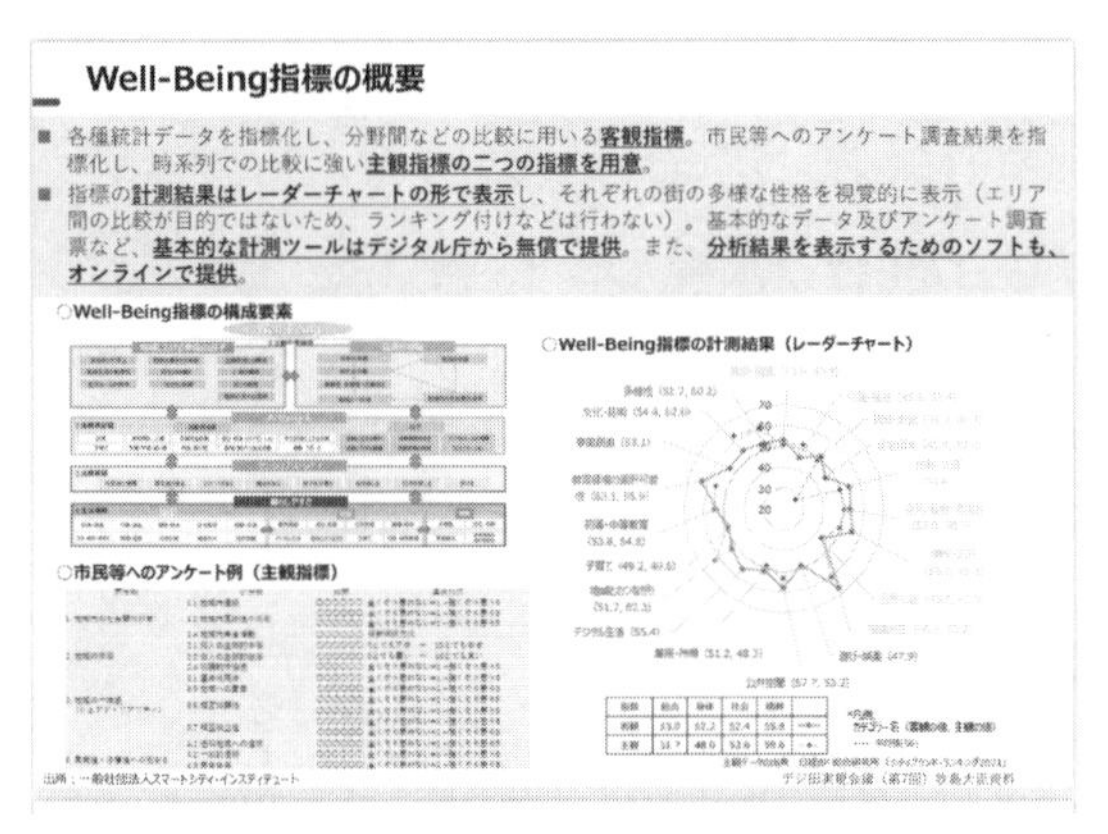

デジタル田園都市におけるWell-Being指標の活用について
(2022/4/27 第7回デジタル田園都市国家構想実現会議)

でデジタル庁では基本的な計測ツールは無償で提供、分析結果を表示するためのソフトもオンラインで提供することとした。

ちなみに、デジタル大臣がデジ田担当大臣でもあると思い込んでいた人も多かったような気がしている。もちろん私自身もデジタル大臣として、各地域でデジ田の広報に努めてきた。だが地方を創生させ人々の暮らしを豊かにする、という視点から、デジタル田園都市国家構想担当大臣はまた別に置かれていることを、改めて記しておきたい。

Ｗｅｌｌ－ｂｅｉｎｇは居住環境、公共空間、自然環境、移動交通、雇用のようにオープンデータなど客観指標で見えてくるものもあれば、安全安心、快適な暮らし、生活の利便性、

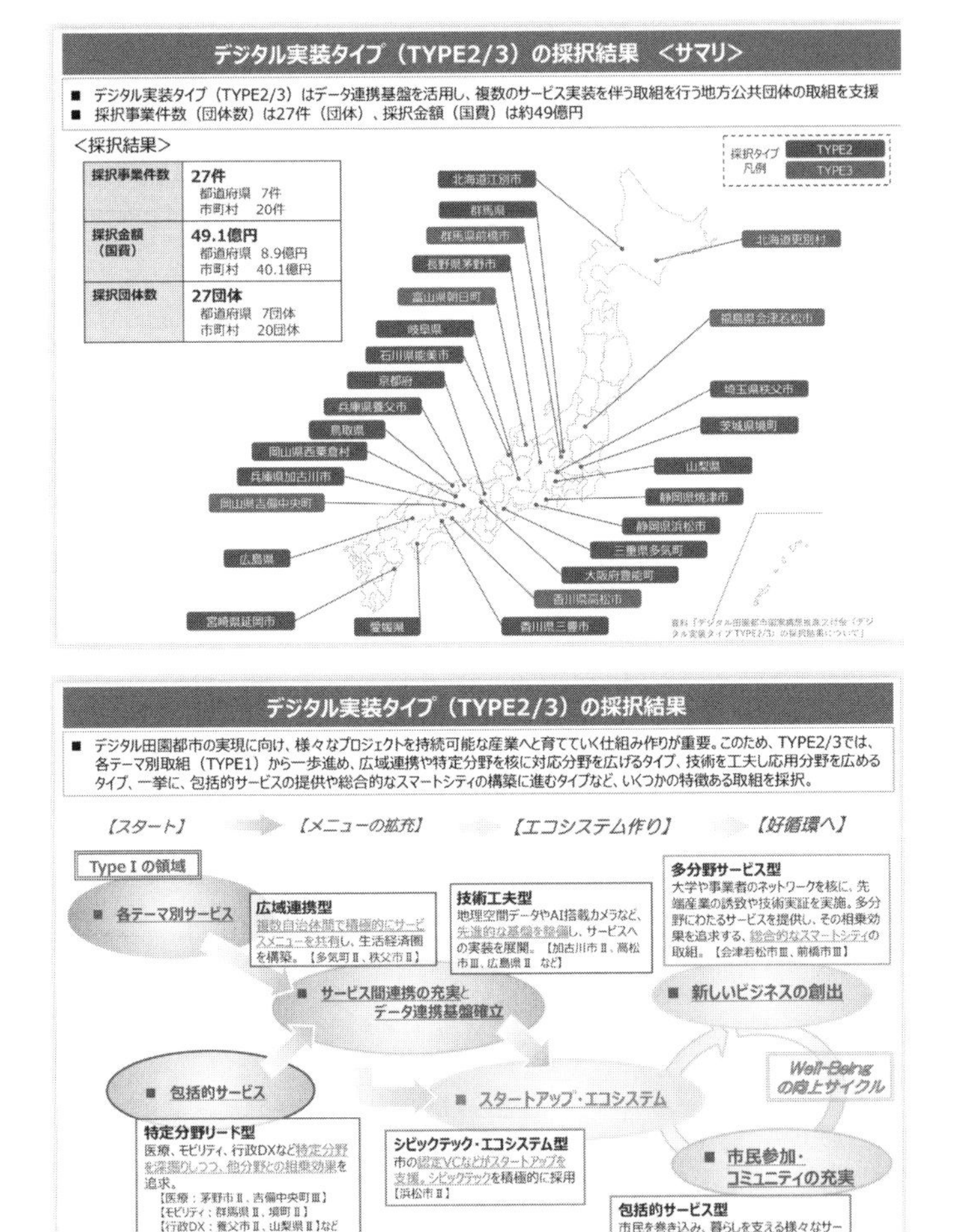

「デジタル田園都市国家構想推進交付金（デジタル実装タイプTYPE2/3）の採択結果について」

まちの活力、つながりのような主観指標もある。アンケートの実施などで可視化される項目も含めてレーダーチャートでプロットすることで、地域の強みと課題を分析する一助になればと願っている。

この指標は、デジ田交付金のTYPE2／3で採択された27全てのエリアで調査の実施をお願いすることとした。最終的にはデジ田交付金採択団体にとどまらず、全国各地で活用されることを目指したいが、まずはデータ連携基盤構築を必須としたTYPE2／3から始めてもらい、広く様々なエリアへの普及に結びつけていく考えだ。地方創生やスーパーシティーの提案の実績から、スタートアップエコシステムに注目した浜松市、総合的なスマートシティ追求を目指す前橋市や会津若松市の取り組みなども注目されている。大きな自治体に限らず、人口3000人強の北海道更別村がTYPE3に採択されていることも特記しておきたい。

更別村では農業が基幹産業として協働で農作業を行うためのコミュニティが形成されていたが、農業の機械化が進んで地域の力が弱まっているのではないか、というところからデジ田構想が始まっている。100歳までワクワクできる「ひゃくわくサービス」と称した「つながり」の回復と、健康で暮らせる生活インフラの構築を目指して高齢者の生き方いを明確化したところにその特徴がある。医療であれば「すぐそこ専門医」「ＡＩかんたん病院予約」「医療情報おあずかり」「ひゃくワク予防医療」というメニューが並んでいる。趣味であれば「歌って踊って」「大人のたまり場」「更別村民講座」「写真・動画共有アプリ」というラインアップ。健康として「更別健康アプリ」「楽しく運動」「ジム使い放題」「あんしん見守り」「チャットコーチング」「温泉・サウナ使い放題」というサービス展開だ。

これら、医療、健康、趣味の全てで生きがいを発見し、交流の場を持ち、心身共に健康に過ごす日々の「ベーシック・インフラサービス」として定額料金の月額３９８０円が設定されている。いわゆるサブスクで歌って踊って運動できるというもの。「カラオケ」も「ボイストレーニング」もできるモデルは、海外で紹介しても高い関心が寄せられるものだった。「カラオケでストレス発散、その気持ち分かる」とアメリカ人でもコメントする。それをＷｅｌｌ-ｂｅｉｎｇと結びつけて小さな村でも人生１００年時代にふさわしいモデルとして提示するところに、日本の明るい高齢社会の模範を感じるのだという。「日本で最もシニアが元気に輝く農村」の実現を目指す更別村の取り組みは、どの地域であってもデジタルとデータを基盤に地域の活性化を実現できる、という励みになっており、今後も国内外から注目されることだろう。

以上、データ連携基盤を活用した複数サービスの実装を伴うＴＹＰＥ２／３の紹介をしてきたが、デジ田交付金には「まずはデジタルの効果を実感できるサービスを実装してみる」というスターターのレイヤーであるＴＹＰＥ１も存在している。コロナ禍は新たな生活様式を私たちにもたらしたが、その一つとしてリモートワークや多拠点居住など、地方への人の移動という効果をもたらすものでもあった。だからこそ、地方創生×デジタルにとっては好機であったが、自治体の職員だけでデジ田交付金の新たなアイデアを構築するのは難しいのかもしれない、という思いはあった。地方創生に関わってきて、交付金の申請書類にも数多く目を通してきて、「次にどのようなアイデアを出せばよいのだろうか、新機軸とか、先見性とか、正直もう思い浮かばない……。差別化と言われても申請書類にどう書けば伝わるのかもわからない」という状態に陥っているように見えた。そこで提示したのが「デジタル田園都市国家構想推進交付金（デジタル実装タイプＴＹＰＥ１）参考事例集」である。

ゼロから唸りながら自治体の職員の皆さんが計画を練るプロセスを飛ばして、カタログから先行事例を見つけて真似をしてしまおう、というものだ。もちろん全ての自治体に同じフォーマットが当てはまるわけではないが、既に課題解決の方法を見つけている自治体があれば、それを生かさない手はない。参考にして「同じようなことをやってみたいです」と申請書に書いてもらえばいい。当然自治体のプライドもあって、他の地域の真似をするという宣言は躊躇(ちゅうちょ)するのかもしれないが、地方創生に残された時間が限られている、今やるしかない、と思えば参考事例を活用してくれるだろうと思ったのだ。

「タブレット端末や環境データを用いた効率的な農業技術支援」「ビッグデータを活用した交通状況分析と対策」「スマートスピーカーを活用した見守りサービス」「土石流対応ワイヤレスセンサーを用いた住民参加型警戒・避難システム開発」「オンライン日本語教育モデル校事業」「三密回避に役立つマップ」など農林水産、仕事、交通、物流、健康・医療、教育、観光、環境、文化、住民サービス、防災、金融、行政サービスといったあらゆるメニューを公開し、交付金申請の参考にしてもらった。その結果、多くの自治体が「真似してみたい」と挙げたのが「ICT技術を活用した地方自治体の窓口業務における住民サービス向上」、いわゆる北海道北見市の「北見市モデル」や「書かないワンストップ窓口」と呼ばれているものである。

デジタル庁が立ち上がったら即自治体の窓口がデジタル化されるわけではない。行政サービスとして一番身近な存在は基礎自治体であろうが、その業務プロセス、改善計画は自治体職員によってなされるものだ。例えば新入職員に「引っ越してきた住民」の役をやって

自治体窓口で自ら紙に記入する必要はない。全国のモデルとなる北見市役所の様子

もらい、窓口業務を体験してもらい、フレッシュな視点での気づきを反映させる、といった取り組みをしている自治体もある。

北見市を視察させてもらった。北見市役所では、デジタル化による「窓口業務の効率化」と「書かないワンストップ窓口」による住民の利便性向上の取り組みを実際に見学した。「この紙への記入は必要なのだろうか」「そもそもどの紙に記入すればよいのか分かりにくい」「なぜワンストップで手続きが終わらず、たくさんの部署を回らないといけないのか」という疑問は多くの人が感じてきたことだろう。私もその一人だ。そうした不便や煩わしさを解消する窓口がまさに北見市にあった。

北見市では、デジタル化・システム化する前から、アナログでもできる業務改善に取り組んできた。そうした長年の蓄積の上に「引っ越しワンストップ」や「お悔やみワンストップ」が実現している。

実際に窓口のフローを見ると、市役所に入って、入り口の総合案内で手続きの内容を伝えるところから始まる。窓口の番号を案内され、受付番号を取る。自分の番号が呼ばれたら窓口に行って、手続きの内容を「口頭で」伝える。ここに紙もペンも介在していない。窓口の職員が聞き取った内容をその場でパソコンに打ち込むと、その情報を元にRPA（ロボティック・プロセス・オートメーション：PCなどを用いて行っている一連の作業を自動化できる「ソフトウエアロボット」のこと）が自動で仕事をして必要な書類を整えてくれる仕組みだ。RPAが稼働しているパソコンが乗っているデスクに人は座っていない。書類ができあがったら、また受付番号が呼ばれて受け取っておしまい。手続きによるが、速いものであれば2分30秒ほどで終了となる。引っ越しであれば、お子さんの学校の手続きやペットの犬の登録に至るまでワンストップで聞き取ってくれる。

この北見市の取り組みをモデルとして活用しているのが埼玉県深谷市で、両市の職員が意見交換を続けながら、今も業務改善を続けている。原点にある「窓口を住民にとって便利なものにしたい」という気持ち、「自分たちの業務を見直しながら使いたいものを作っている」という方針が共通している。そして、この北見市モデルが深谷市へ、そしてより多くの市町村へと展開されたのが「デジ田TYPE1」である。

同じ挑戦を進める自治体へは北見市、深谷市の職員がメンターとして行ってくれることもあれば、オンライン会議で自治体職員間での学び合いの機会も作られている。学習者が互いに協力して学び合う「ピアラーニング」のメソッドが取られていることが興味深い。時間短縮、省エネのため、他の市町村で作られたマニュアルをそのまま活用した事例も出ている。役所の構造や人口規模など異なっていても、住民サービスを向上させたいという思いは同じであるから、業務の流れを確認するのであれば他市町村のマニュアルも参考になる。

そして、この動きを加速させたのが、デジタル庁で進めた「(自治体向け)デジタル改革共創プラットフォーム」である。自治体職員の皆さんと政府・官公庁の職員とのありそうでなかった「直接対話型」プラットフォームである。省庁から発出された通知を読み込んだり、締切に向けて各役所で申請作業をしたりする中で、躓(つまず)きや困り事を共有できる人がいない。逆に省庁にすれば、同じような質問が様々な自治体から飛んできて、一つひとつ対応するのが大変、というのも現場ではよくあること。「コロナ関連で届いた厚労省の通知、

窓口DXに意欲的な首長とのオンラインミーティング。デジ庁Tシャツを着用

どう理解したらいい？」「他の自治体ではどんな工夫をして省力化を実現した？」といった実践的な自治体間の情報共有システムとして活用されてきた。教え合い、学び合う。デジ庁の職員も質問に答える。その好循環が共創プラットフォームでは動いている。

こうした意欲的な自治体職員を後押しする首長の存在も欠かせない。デジ田TYPE1で窓口DXを行うと決めた自治体約70のうち、職員をデジ庁に派遣している自治体の首長とはオンラインミーティングも開催した。ちなみに2022年末時点で、デジ庁へ職員を出向派遣している自治体の数は48に上る。チャットでも活発な意見交換が行われ、「待ち時間4時間が数十分にまで短縮できた」といった先行的な取り組みも紹介された。「書かない」

窓口が「回らない」「待たない」窓口となり、最終的には「行かない」役所になる、新たな標準が作られようとしている。

事例の紹介が長くなったが、他の国（特に先進国）から見て興味深いのは、日本は1カ所に人や技術を集めて成長していく、という道を選ぶのではなく、デジタルの基盤を国が整備をしつつ、それぞれの地域の特色を生かしたコミュニティを創っていくほうに舵を切ったのだ、ということだろう。アメリカの大学での講義でも、シティ（都心部）をデジタル化させる、ということは理解できるが、全国津々浦々、ガーデンシティ（地方）においても実践していくという覚悟への感嘆も寄せられた。そこには、山奥にポツンと昔から続く生活に思いを寄せる人、自然と共存する暮らしを求める人々がいる。こうした人々が増えていることを見ても、デジ田と日本人のメンタリティは馴染（なじ）みやすいのかもしれない。

第4章

DXを阻む難敵に「アジャイル」で立ち向かう

DXの進展に不可欠な「ベース・レジストリ」

デジ庁の役割として大変重要なのにもかかわらず、あまり知られていない上に、限りなく地味で地道な作業の最たるもののひとつが「データオーソリティ」というものである。国際・国内共に重要なデータ標準の開発・管理・運営をデジ庁は担うこととなっている。アジャイルでDXを推進するにも、その前提となるデータの形式が整えられていなければ、データ活用は進まない。

具体的には、（1）行政手続きのワンスオンリーの実現に向けて、個人・法人・土地など、行政機関が保有する社会の基本的なデータを「ベース・レジストリ」として整備（ベース・レジストリの説明は後述）。（2）データを利活用する際に前提となるトラスト（真正性、完全性）の確保・証明のための仕組みの構築。（3）グローバルなデータガバナンスの基盤となる国際的なルール作りを推進。こうしたデータ戦略を構築し推進していくことがデジ庁には求められている。トラスト基盤の構築、基盤データの整備、データ連携を可能とするシステムの構築など包括的データ戦略の実装に取り組むことで、新たな価値の創出を目指すものだ。

デジタル社会ではデータが国の豊かさや国際競争力の基盤になる。DXの進展、イノベーションの推進、AI能力の向上にとっても不可欠である。デジタル国家にふさわしいデジタル基盤構築に向けてデータ戦略を作る責任がある。データの品質を高め、標準ガイドラインに則(のっと)ってデータが整えられるようにする。そうしないと、データの突合もできない。そして基本データをベース・レジストリとして正確で最新のものにしておく必要がある。

ベース・レジストリとは、公的機関の間で登録・公開され、様々な場面で参照される、個人、法人、土地、建物、資格等の社会の基本データのことである。社会全体の効率性のためにも、スマートシティなどの新しいサービスの創出のためにも、ベース・レジストリを整えておくことが大切だ。

例えば、住所・所在地のマスターデータである「アドレス・ベース・レジストリ」の整備・推進も大掛かりなものになる。「行政において、標準的な住所・所在地を一元的に管理できていない」と聞いたら、驚く人も多いだろう。でも「住所を記入してください」と言われたときに、私たちは普段どのように記載しているだろうか。示されたフォーマットに沿って「1（丁目）2（番地）3（号）」と書いていることもあれば、「1（丁目）2（番）－3」だったり「1－2－3」だったりする。「1－2」でも郵便物は届くかもしれない。むしろ郵便配達の皆さんの高い奉仕精神とスキルに支えられ、住所、所在地の正確性を深く意識することもなく、曖昧な表記でもきちんと郵便が届くというありがたい現象を享受し、手つかずでここまで来てしまったとも言える。しかし、個人の住所も、公共施設の所在地も、官民の多くの台帳の項目として用いられるものだ。そのつど表記が違うというのでは困る。

それでも、1カ所を直して全部一斉に修正をかけることはできない。この国では、情報によって管理している場所が違う。町字情報や住居表示情報は市区町村、地番は登記所でそれぞれ個別に管理されているから、行政において標準的な住所・所在地を一元的に管理できていない、ということになる。さらに、一般に流通している住所の表記の階層構造は、地域により異なっていたりもする。住所をキーとしたデータ連携が実に困難な国なのである。

そこで令和3年5月に行われた「ベース・レジストリの指定」において、住所・所在地のマスターデータ整備を含めて「アドレス」をベース・レジストリとして指定して整備・推進することになった。令和3年度にデジ庁は試験公開版データという位置づけで、行政が保有する既存の住所・所在地データを用いて初期マスターデータを整備し、自治体ごとにCSVデータとしてレジストリカタログの公開サイトに掲載した。

オープンデータとすることで多くの意見が集まり、より使いやすいデータシステムに改善されていく。ワーキンググループの資料についても意見募集を実施し、データ標準化が

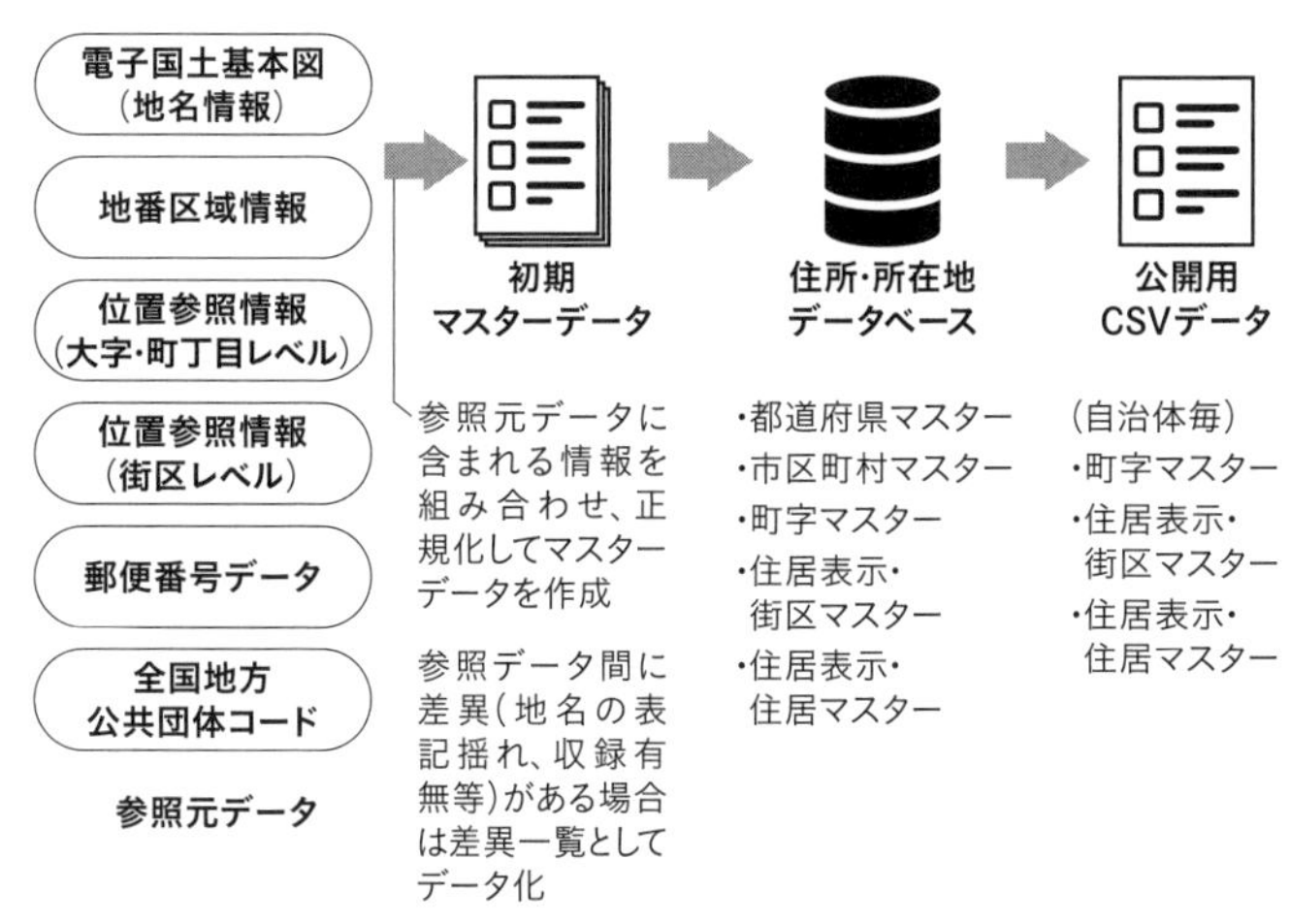

デジタル庁「アドレス・ベース・レジストリ」

重要といった意見が届けられた。

ワーキンググループでの議論に参画していると、例えば「京都市中京区寺町通御池上ル上本能寺前町488番地（京都市役所）」を自動配送の時代にどうフィットさせるべきだろうか、と悩んでしまう。「上ル」「下ル」「西入ル」「東入ル」は土地勘のある方にとっては慣れれば場所の特定を早める得策なのかもしれないが、機械が感覚的につかむのはそう簡単ではないだろう。同じ区内ではあるものの同じ町名が離れた場所にある場合は、郵便番号または上ル・下ルがついていないと違う場所に郵便物が届いてしまう。人間が認知できる住所と機械が認識できる住所が違う、という前提での整理が必要なのだ。

さらに言えば、ドローンで配送しようとしたら、空間を認識する3Dマップが必要になる。人間と機械の情報処理を融合させるには、機械利用を前提として三次元情報（緯度・経度・高度）に人間が認知可能な二次元情報（地番・住所）を紐づけ、適切な国土・不動産管理を実現させなくてはいけない。人間は緯度・経度・高度を示されることには少なくとも現時点では慣れていないからだ。

そのためには、地道に不動産登記のデータを各種台帳の情報を統合するのに活用できるようにすることや、空間情報にまつわる識別情報の体系（空間ID、緯度経度等）のあり方の整理も必要になってくる。そうすれば、災害など緊急時にもドローンで薬など必要な物資を送ることも可能になるだろう。

2030年の目指すべき姿として、ドローンが安全に行き交う社会を既にデジ庁では描いている。そして、ドローン同士、自動運転車同士が行き交う社会になるからこそ、空間IDによって相互の位置情報が把握できるようにしておかなくてはならない、という方向性も議論している。ドローンが空を行き交う様子を想像したり、ドローンタクシーで移動できる未来をイメージしたり、自動運転や自動配送が当たり前になる社会を想定するのは、いかにもデジ庁らしいキラキラした話だ。しかしそのためには、ベース・レジストリの整備といった地味だが必須の作業も、デジ庁が各省庁と連携しながら遂行しなければならない。

「漢字問題」「フリガナ問題」に挑む

デジ庁はGIFを整備した。GIFとは「政府相互運用性フレームワーク」（Government Interoperability Framework）の略。生活や企業のあらゆるデータを活用するデータ駆動社会では、円滑にデータを交換できる体制整備が不可欠だ。2030年を見据えてまずデジ庁では、データのひな型やガイドブックなどによって構成されるデータ整備や運用のための体系であるGIFを整備することとした。データが社会の重要な資産であるにもかかわらず、バラバラで連携できない、利用ルールが違うので活用できない、といった状況を打開するための施策である。

「相互運用性」という点ではデータの形式、運用ルール、交換するためのツール全てについて考えねばならない。分野内、地域内に限らず、広域でのサービス連携や展開が促進される土台を作るのに不可欠な考え方だ。必要なデータが入手できるようになり、高度に管理されるようになれば、重複投資をしなくて済むようになるし、データ再利用や自動審査も進むだろう。オープン化の推進により容易にデータが見つけられること、質の高いデータを組み合わせて利用できること、項目ごとに分かれているデータが連携され自動審査も可能になること、AI技術やビッグデータ解析技術を使って分析が進められること、こうした方向性でデータを使いこなせる社会を目指している。

例えば、日付ひとつとっても様々な形式がある。２０２２年3月３１日には全角と半角の場合がある。令和４年３月31日も存在している。２０２２／03／31も、２０２２０３３１も何を示しているのかは分かる。Mar．31，２０２２というケースもあるだろう。組織内で複数のシステムを保有していると、日付の形式が違うといった問題が生じて、現在はその「揺らぎ」を変換ツールで解消したりしている。

同じ日付でも形式は様々

２０２２年３月３１日
2022年3月31日
令和4年3月31日
2022/03/31
20220331
Mar.31,2022
2022-03-31

しかし、どのデータにも共通して活用されるデータ項目（コア・データ・パーツ）を定義しておけば、データ連携を容易に実現できる。日付のコア・データ・パーツは２０２２－03－31となる。今後データ・ディクショナリを作ることも予定されている。

日本にあるデータは、同じデータ項目名でも違う内容を示していることがある。逆に、違うデータ項目名なのに同じ内容を示していることもある。統計における用語にすら「揺れ」が存在している。次ページの表のように国勢調査で「家族従業者」となっている項目は、21世紀成年者縦断調査では「自家営業の手伝い」になっている。「役員」という表記もあれば「会社などの役員」「会社・団体等の役員」などまちまちだ。相互運用性を考えても辞書を作っておかなければならないし、それもデジ庁の仕事だ。

そもそも漢字の扱いも簡単ではない。文字情報基盤：IPAmj明朝フォントでは漢字は５万８８１４文字、戸籍のオンライン手続きに使用することを目的として整理した戸籍統一文字では5万5270文字、多くの住民が氏名に使う文字を整理した住民基本台帳ネットワークシステム統一文字では1万9563文字、実用上の情報交換の必要性から出現頻度等を元に選定したJIS X 0213では1万0050文字、常用漢字では2136文字ある。新聞、雑誌など一般的に使っている漢字は約2000だが、数え方によっては6万字を超える文字が存在しているわけだ。

例えば渡辺さんの「辺」は社会生活においては「辺」と置き換えられていても、「邊」「邉」を使う場合もあるだろう。しんにょうの点が1つのことも2つのこともある。入力ソフトに登録されていない文字だと表示できない外字の場合「渡」といった表記になってしまい、名前を正確に把握できない。

社会生活基本調査	国民生活基礎調査	中高年者縦断調査	21世紀出生児縦断調査	21世紀成年者縦断調査	人口移動調査
有業者	有業者	仕事をしている（者）	有職	仕事あり（の者）	
雇用されている人	役員以外の雇用者	正規の職員・従業員、パート・アルバイト、労働者派遣事業所の派遣社員、契約社員・嘱託	勤め（常勤）、勤め（パート・アルバイト）	正規の職員・従業員（正規）、非正規	正規職員 パート・アルバイト、派遣・嘱託・契約社員
				自営業等	
会社などの役員	会社・団体等の役員	会社・団体等の役員		会社などの役員・自営業主	会社などの役員
自営業主	自営業主	自営業主	自営業・家業		自営・家族従業者・内職
家庭内の賃仕事（内職）	内職	家庭での内職など	内職	自宅での賃仕事（内職）	
家族従業者	家族従業者	家族従業者	自営業・家業	自家営業の手伝い	

相互運用性確保のためには揺れを解消することが不可欠だ。調査によってはより細かい区分があったり、「雇用者」一つ取っても異なる表現が使われていたりする

こうしたことからＧＩＦでは、「文字環境導入実践ガイドブック」で行政サービスの漢字にＪＩＳ Ｘ ０２１３の活用を推奨している。そうすれば、約1万文字をカバーできるし、スマートフォンでも表示することができるからだ。ちなみに「文字環境導入実践ガイドブック」は平成31年にデジ庁の前身である内閣官房情報通信技術総合戦略室、通称ＩＴ室が作成した。

「漢字問題」はデジタル化を実現する上で先送りできない喫緊の課題であるからこそ、ＩＴ室時

統計における用語の揺れの例

労働力調査	就業構造基本調査	国勢調査	住宅・土地統計調査	家計消費状況調査	全国消費実態調査
就業者	有業者	就業者			就業者
雇用者	雇用者		雇用者		
雇用者（役員を除く）	雇用者（役員を除く）	雇用者		雇用されている人	雇用されている人
役員	会社などの役員	役員		会社などの役員	会社などの役員
自営業主	自営業主	自営業主	自営業主	自営業主・その他	自営業主
		家庭内職者			内職
家族従業者	家族従業者	家族従業者			家族従業者

ppt資料（2022-03-31）：政府相互運用性フレームワーク
GIF：Government Interoperability Frameworkより抜粋

代から取り組んできたわけだが、もう一つ重い課題が通称「フリガナ問題」である。正確に記すと「氏名の読み仮名の問題」である。「羽生」と書いて「はぶ」であれば将棋、「はにゅう」であればフィギュアスケートを思い浮かべる人が多いだろうが、「羽生さんが大活躍」とだけ見出しに記されていたら、どちらの話題なのか計りかねる。それは「菅（すが）総理」と「菅（かん）総理」でも同じ問題が起きる。ニュース記事であれば、フリガナを振らないと正確に伝えられない。しかし、この氏名の読み仮名は明確に定め

2　文字に関する標準的な取扱い

2.1　総論

1)　文字の範囲に関する標準的な取扱い

ア　JIS X 0213の文字

氏名、法人名、地名等の名称における文字は、その個別性、同一性を確認する上で、非常に重要な要素です。一方、前述のとおり、文字の表現の正確性を重視して、取り扱える文字の数量を増加させ、複雑化させることは、人間の能力の制約上、同一の文字であることを確認することに時間を要し、誤認することに繋がってしまい、結果的に、混乱の要因となる場合があります。

邊邊邊邊
邊邊邊邊
邊邊

例えば、左の文字群は、「べ」と表音する「邊」の異字体とされています。常用漢字では「辺」と表記されています。これらの文字は似ていますが、全て異なる文字です。これらの文字を、瞬時に、異なる文字と認識し、同一性の確認を行い、特定することは一般に困難だと考えられます。

また、検索する場合において正しく入力しないときには誤った検索結果が得られるおそれもあります。さらに、筆記された文字の場合には、略字を用いる可能性等が加わり、同一性の確認が一層難しくなります。

また、情報システムの構築及び管理の観点からは、一般に普及しているパソコン、スマートフォン、タブレットといったコンピュータで外字を取扱う場合には、個別にコンピュータに当該外字を導入しなければいけません。また、外字を扱う情報システムとの間においてデータ連携をする場合には、同じ外字を導入するか、利用可能な文字に変換しなければならず、効率的ではありません。

以上を踏まえ、サービス・業務を設計し、情報システムを構築及び管理していく上で、文字の取扱いは、日本工業規格JIS X 0213の文字（約1万文字）に限定して使用することを強く推奨します。JIS X 0213は、一般的なパソコンやスマートフォン等に標準搭載されており、当該文字を利用すれば、上述の問題の発生を防ぐことができるからです。

行政サービスで使う漢字を確定させることで正確な表示が可能になる
出典：文字環境導入実践ガイドブック　2019年（平成31年）3月28日　内閣官房情報通信技術（IT）総合戦略室

られていないのだ。

「戸籍に書いてあるでしょう」と思っている人もいるだろう。「子どもが生まれたときにフリガナも振って役所に届け出たはずなのに」という意見もあるだろう。しかし、戸籍にはフリガナがついていないのだ。昭和56年の民事行政審議会の答申で、「『出生の届出等に際しては、必ず読み方を記載すべきものとし、戸籍上にその読み方を登録記載する』という制度を採用すれば、各人の名の読み方が客観的に明白となり、社会生活上便利である。しかし、無原則に読み方が登録されると、かえって混乱を生じるおそれがあり、かつ、混乱を防ぐためにどの範囲の読み方が認められるかの基準を立てることは必ずしも容易ではなく、戸籍事務の管掌者において『その読み方の当否を適正に判断することには困難を伴うことが予想される』」とされたのである。漢字の音訓に全く関係のない読み仮名の取り扱いをどうするのか、親子や兄弟で異なる読み仮名でも良いのか、などの答えを出すのに慎重な検討が求められてきたのである。

この10年間でも、議員間の議論で「海」と書いて「まりん」と読むのは認められるのか、「美猫」と書いて「きてぃ」はどうか、など具体的なケースは様々な意見があったが、令和2年12月25日に閣議決定された「デジタル・ガバメント実行計画」において「2024年からのマイナンバーカードの海外利用開始に合わせ、公証された氏名の読み仮名に基づきローマ字表記できるように」と記された。つまり名前の読み方を固定しなければならなくなった。

さらに言えば、カナ検索は通常使われるものであり、システム処理の正確性・迅速性・効率性を向上させるためにも必要と考えたのである。そして令和3年5月12日に成立、同月19日に交付された「デジタル社会の形成を図るための関係法律の整備に関する法律案」の附則73条において「政府は、行政機関等に係る申請、届出、処分の通知その他の手続きにおいて、個人の氏名を平仮名又は片仮名で表記したものを利用して当該個人を識別できるようにするため、個人の氏名を平仮名又は片仮名で表記したものを戸籍の記載事項とすることを含め、この法律の公布後一年以内を目途としてその具体的な方策について検討を加え、その結果に基づいて必要な措置を講ずるものとする」と規定された。情報システムにおいては清音（ヤマサキ）と濁音（ヤマザキ）のような小さな違いであっても同一人物が異なる人物と特定されてしまう場合があり、行政サービスを提供する上で問題が発生する恐れがある、という指摘もなされてきた。

法務大臣の諮問機関である法制審議会の戸籍法部会は令和4年5月17日、戸籍法改正の中間試案をまとめた。漢字と読み仮名の関連性について、独特な読み仮名が認められる例として、⑴規定を設けず公序良俗や権利に反しない限り認める、⑵漢字の慣用的な読み方か字義との関連性があれば認める、⑶字義との関連に加え、パスポートに記載済みなど既に社会的に通用していれば認める、という3つの案を示した。

例えば「大空」と書いて「すかい」と読むことや、「光宙」で「ぴかちゅう」は認められても、「太郎」と書いて「じろう」と読んだり、「高」と書いて「ひくし」と読むのは認められない、ということなのではないか、とされた。現時点では、仮に漢字から想定して読みづらい名前であっても、自治体の職員は命名した親の思いに異を唱えるのは現実問題として難しく、原則そのまま受理していると聞く。その人の呼び名を一つに確定すること、そして窓口業務を担う自治体職員が混乱しないようにすることの両方が重要になってくる。

そして、これから生まれる子どもは出生時に読み仮名の記載を義務づけることができるが、それ以外は国民が読み仮名を市区町村に申し出ることになれば、その周知徹底も必要になるだろう。意見公募（パブコメ）を経て、じきに法改正の準備に入ると見込まれる。国民の理解も不可欠になってくる。

「アジャイル」——無謬性（むびゅうせい）神話からの脱却

政策決定のプロセスのサイクルについては、デジタル大臣として、そして行政改革担当大臣としてコロナ時代に考えさせられたテーマでもある。ＰＤＣＡ（Plan－Do－Check－Action）サイクルを回す、ＥＢＰＭ（Evidence Based Policy Making）を重視する、といったことは、霞が関においても意識されるようになっている。しかし、それを日々の具体的な施策や政策決定に生かすとなると、まだ課題があるとも感じていた。

一方で、世の中のスピードはかつてないほど速くなってきている。複雑なニーズにも応えていくことが期待されている。コロナ禍で、昨年正しいと思っていたことが、今年は違う可能性もある、ということも学んだ。これまでと同じ前例踏襲主義、硬直化した意思決定で、人々の多様な幸せのための対応ができるのだろうか、もっとアジャイルに考えなければならないのではないか、デジタル時代における行政改革を考えねばならない、というのが私、小林、山田のデジ庁政務3役と内閣官房行政改革推進本部の幹部、そして有識者の先生方との議論の出発点であった。

こうした意識の下、行革で立ち上げたのが、「アジャイル型政策形成・評価の在り方に関するワーキンググループ」である。アジャイルとは、システム開発用語として使われ、機敏な、とか、素早いという意味を持っている。開発期間を短くしてリリースし、ユーザーからのフィードバックなどを反映させ素早くアップデートさせていく。この柔軟性を、サービスのリリースだけではなく、政策の形成・評価の考え方にも取り入れられないか、というのが私たちの狙いだった。

経験のない課題に向き合わなければならないこともある。考えうる最善の政策でチャレンジした上で、トライ&エラーもありうる。さらなる精度を上げていく柔軟な政策形成ができないだろうか。行政事業レビューシートでも、予算編成プロセスでも、機動的で柔軟な見直しが自然と行われる、生き物である現実社会の要請に応えることができる霞が関にしたいと思う。そして霞が関人材がクリエイティブな仕事に従事できる、ダイナミックなサイクルを実現していきたい。

PDCAサイクルを回し、ひとつのアクション、行動に移った後、次のプラン、計画に移

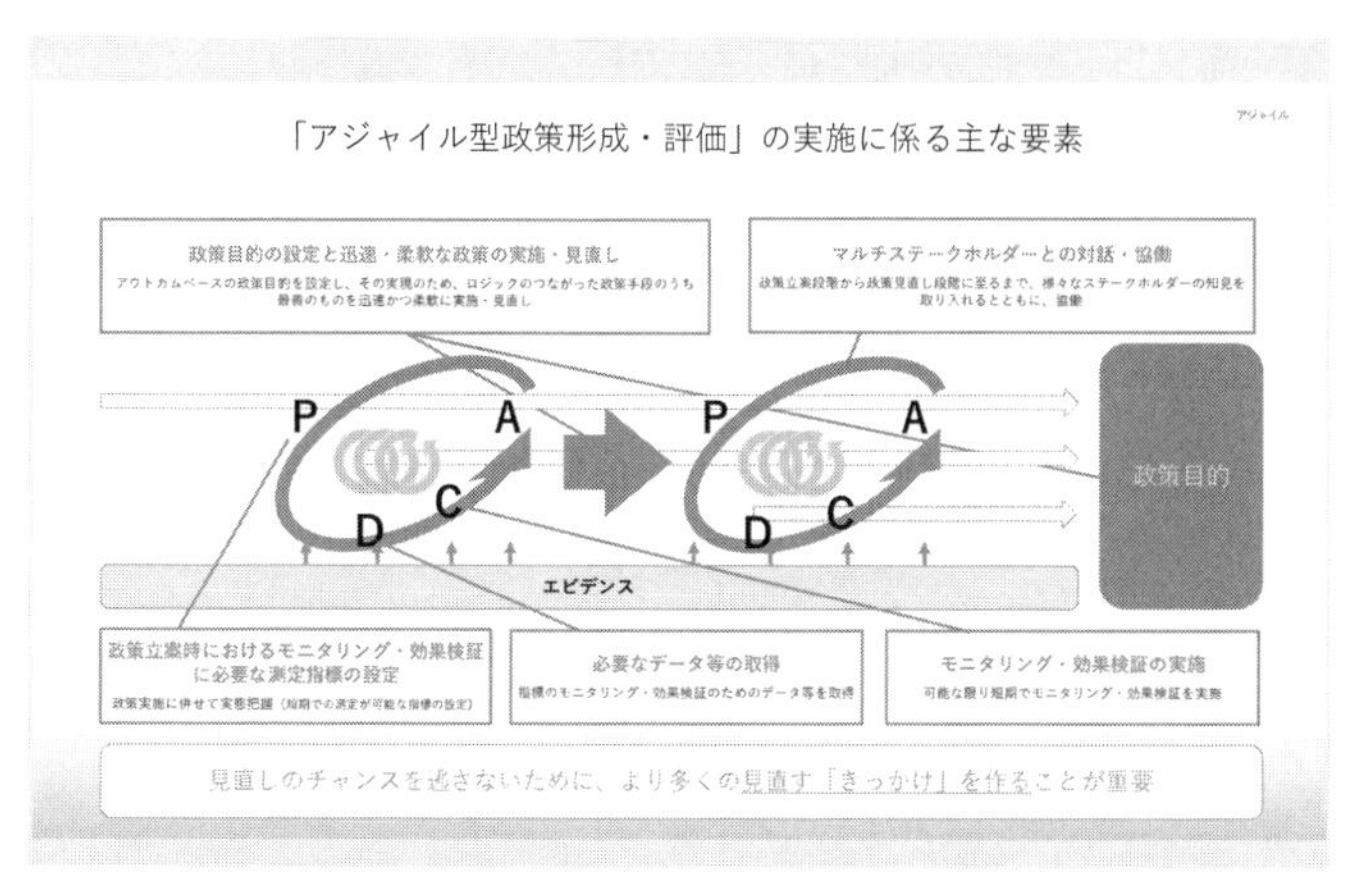

「アジャイル型政策形成・評価の在り方に関するワーキンググループ」資料

行することが求められる。このAから次のPへの移行が漫然と行われてしまうのか、それともエビデンスやデータに基づいて行われるのかによって、成果の質が違ってくる。もっといえば、大きなPDCAサイクルの中に小さなPDCAが存在していて、くるくると回すことができれば、より複雑でスピードの速い実社会へ適応できることになる。

しかし、分析の結果の方針変更であっても「優柔不断だ」「朝令暮改だ」という指摘は免れない。だからこそ施策を作る最初の段階からデータをとって見直すことができるモニターやセンサー、装置と言われるものをインストールしておくことが必要だ。実態把握、必要なデータ等の取得を通じて短期でモニタリング・効果検証を実施できる体制を「（上掲キンググループのポイントであった。

この流れは、ワクチン接種推進担当大臣補佐官を小林史明副大臣が経験していたことに端を発している。前述したVRS（ワクチン接種記録システム）が、まさに日々各地域でワクチンの接種がどれくらいのペースで進んでいるかを見える化するモニタリング装置だったのだ。数字が日々上がってくるのを見て、伸びが鈍化している地域がどこなのかが一目瞭然に分かる。そして、この数値と共に首長や医療従事者、現場関係者の声といったものもヒアリングすることで、スピードを上げるための工夫、インセンティブを議論することにつながった。このサイクルを、コロナ禍の緊急事態だったからできた、とするのではなく、平時においてもできるように、と議論をスタートしたのである。

そのためには、私は「行政の無謬性（むびゅうせい）神話からの脱却」という大きな挑戦が必要だと考えた。「無謬性」つまり「行政は間違わないところだ」という〝神話〟に基づいて前例踏襲にこだわるあまり、見直しよりも現状維持を選んでしまうことはないのか、目標と実態の乖離を発見しても判断が先送りになることはないのか、事後の見直しを認めない風潮はないのか、チェックすることが大事になってくる。

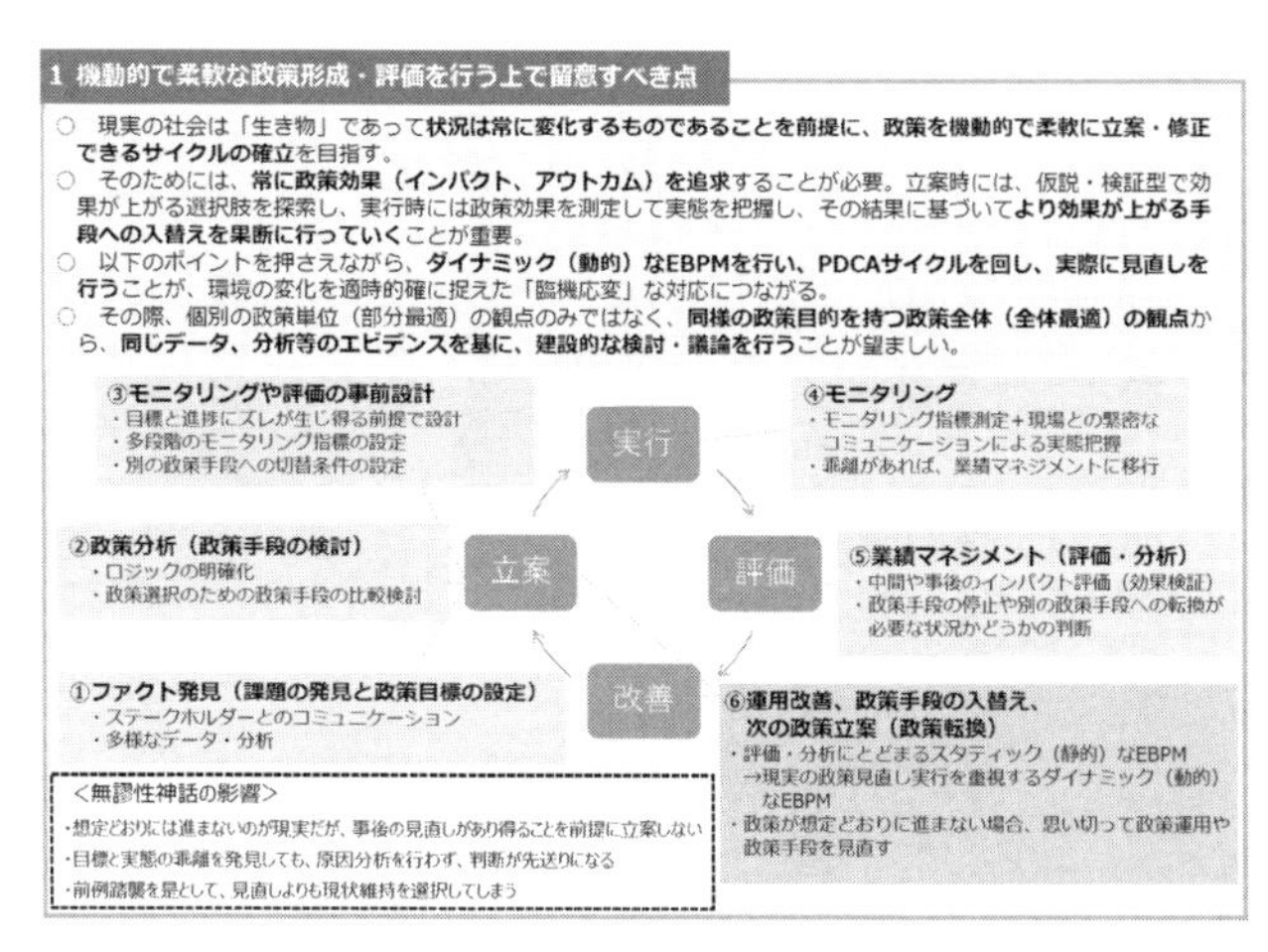

「アジャイル型政策形成・評価の在り方に関するワーキンググループ」資料

問題の先送りは結果として国民に不利益だ。より機動的で柔軟な行政への転換という、組織文化の変革に挑むものとなった。一人ひとりの職員の業務に照らせば、現状維持よりも環境変化に対応することが高く評価される組織文化にしなければ、現状維持が続いてしまう。より効果が上がる手段への入れ替えを果断に行っていく。ダイナミック（動的）なEBPMを行い、PDCAサイクルを回し、そして実際に見直しを行うことが、環境の変化を適時・的確に捉えた「臨機応変」な対応につながる、という考え方を浸透させなければならない。

鈴木俊一財務大臣にもWG（ワーキンググループ）の取り組みを説明し、行政事業レビューシートの見直しと共に、より効果的で効率的なＰＤＣＡとＥＢＰＭを実現するために、アジャイルＷＧでの議論を活用してもらうことを提案。ＷＧの提言として制度改正・運用改善も具体的に記載した。特に各省庁にとって重要な財政当局への予算編成プロセスでの活用も促した。どのように予算を編成するのか、「昨年並みに」といった前例踏襲ではなく、メリハリのあるものにした方が国民のためになるし、財務省もそうした視点で査定すると考えられるからだ。

そして、機動的で柔軟な見直しを可能とする基盤の整備として、各府省庁担当者や有識者などが協働し、政策設計などを支援する場として「政策設計ラボ（仮称）」の実施や、政策有志プロジェクトなどの活動を政策形成・評価の「実践の場」としてサポートすることも提言に盛り込んだ。さらに、希望する府省庁に専門家を派遣し、助言などを行う「ＥＢＰＭ補佐官派遣制度（仮称）」の創設、政策立案をサポートする官民ネットワーク「伴走型支援ネットワーク」の構築も書き込んでいる。

霞が関人材は大変優秀だが、アカデミアや民間との勉強、研究の場はもっと意識的に増やしていかないと、日々のルーティンワークに忙殺されてしまう。人事院が今後の人材確保施策に役立てるため、総合職試験に合格し、２０２２年４月に採用された職員７０７人にアンケートを実施しているのを見ると、霞が関の理想と現実が伝わってくる。「国家公務員になろうとした主な理由はなんですか」という問いへの答えで一番多かったのは「公共のために仕事ができる」で72％だった。高い志に支えられていることが分かる。「どのような取り組みをより進めると、公務の能力が向上し、優秀な人材の獲得につながると思いますか」という問いに対して一番多くの人が選んだ答えは「職場全体の超過勤務や深夜勤務の縮減を図る」（64％）だった。公共のために、法律や政策を作りたいと思って国家公務員を志望したが、国会開会中は質問通告が遅くなれば答弁作成が夜中までかかって徹夜が続く、という状況にも直面する。だからこそ、「政策設計ラボ」や「政策有志プロジェクト」の支援もあえて書き込んだ。ルーティン業務だけでなく政策を考える時間を確保しないと力が落ちてしまうからだ。

目の前の課題解決はもちろん喫緊のことではあるが、かつての日本では省庁がシンクタンク機能を持っている、と言われてきた。それは彼らが民間の動向も踏まえて研究する時間や場を持っていたからだろう。10年後の日本、30年後の世界を官も民も、官僚も政治家も語る軸を持たなければ予見性のない政策作りになってしまう。既に省庁横断で、または省庁の中で、政策勉強会は複数立ち上がっている。こうした動きを互いにキャッチしてフォローしていくことも重要であろう。

ちなみに、デジ庁では「国会答弁作成のためオフィスで連絡が来るまで待つ」とか「答弁作成後オフィスで朝を迎える」というスタイルは取らなかった。クラウドやコミュニケーションツールを活用して、複数の関係者が答弁を練り上げていくので、オフィスにいる必要はない。そもそもリモートで働いている人が答弁作成の係になることもある。

私も用務が終わったら自宅に帰る。答弁がセットされるのは午前0時を回ることもあったが、紙で印刷する必要もないし、自宅に届ける必要もない。セット終了の連絡が来たらオンラインで確認できる。答弁当日の朝は9時から委員会で、答弁であれば6時半から「答弁レク」が始まることもあったが、担当者は大臣への「レクチャー」のために大臣室に来なくてよい。大臣室に朝6時半にいなくちゃいけないとなるから、家に帰らず職場の机で寝ることになるのだ。6時半には起きていてもらう必要はあるが、ウェブ会議なので極端に言えばパジャマ姿でもいい。自宅で寝起き状態でもいいということだ。

そして最終確認が終わった答弁書は多少加筆修正されることはあっても、全てオンライン上で処理され、そのままタブレット端末を持って、大臣として答弁すべき委員会室に向かう。印刷のし直しも、そもそも紙に印刷する必要もない。

次ページの写真を見ると明らかだ。通常、紙ベースの作業だと大臣だけでなく秘書官などの分も含めて大量に答弁セットを作るため、作業が膨大になっている。さらに、イン

デジタル庁では答弁をタブレット端末に収めることで、職員の負担軽減を図った

デックスシールで「問1」とか「データ戦略」とかすぐそのページを出せるようにしておくのが慣習で、このインデックスシールを貼る作業を「耳貼り」と言う。難関の公務員試験を突破した人々が、1年目はこの作業をやっている。この作業も国民のための公共の仕事の一部だとも言える。しかし、今はテクノロジーがある。その時間を政策作りに充てたいと思う人がいるのも自然だし、「耳貼り」が原因とまでは断言しないが、有能な人が霞が関を去っていることも、これまた事実なのである。

「タブレットを使うなんて当たり前だろう。なにをそんなに仰々しく解説するのか」と思う人もいることと思う。しかし、私が大臣時代、オンラインで答弁を作成、確認し、ペーパーレスでタブレットで答弁していたのは、デジ庁だけだったのだ。デジ庁モデルをぜひ他の省庁でも真似してもらえればと切に願っている。
なお「役人が大臣の答弁を用意しなければならないから深夜残業になるのだ。大臣が自分の言葉で答弁すれば済む話ではないか」という声を聞くことがある。私たちは議事録の重さを認識しなければならない。国会での議論は全て議事録に残され、それが歴史となって積み重ねられ、根拠となるのだ。予定なのか、めどなのか、その言葉遣いひとつで変わってくる世界だ。もちろん所管しているトップである大臣が自らの言葉で語ることは重要であるし、そう心がけてきたが、より正確性を要する場面においては、答弁を用意することは避けては通れないことを念のため伝えておきたい（議院内閣制をとるイギリスでも、議員による事前通告によって官僚が答弁を作成している）。

民間人材が職員の3分の1を占めるデジ庁では、民間の「当たり前」を職場に取り入れている。行革担当大臣としても、ソトナカプロジェクト（新卒で民間企業など霞が関のソトで勤務経験を積み、現在は国家公務員として霞が関のナカの人となったメンバーを中心に立ち上げられたプロジェクト）の皆さんとも意見交換した。官と民との間で人材が流動的に行き来する「リボルビングドア」という表現にネガティブなイメージを持っている人もいるようだが、民間人材が霞が関に来て、また民間に行くのもアリだろうし、反対に霞が関人材が一度民間に行ってみてまた戻ってくるのもアリだろう。人が流動化することで風通しも良くなり、様々な価値観が組織に自然と反映されるようになるだろう。だからこそ、民間人材の採用は大事だと考えてきた。

まずは民間人材の手続きに要する時間が一カ月短縮できるようになり、各省庁の判断で柔軟に給与が決定できるようになった。デジ庁としても要望を伝えてきたが、前向きな人事院の見解が出たのはうれしかった。デジタル人材をはじめとする民間人材について円滑な採用が可能となるよう、人事院総裁と国家公務員制度担当大臣との、いわゆる三大臣会合を重ねた成果だったと自負している。

他の省庁もデジタル人材を採用することがあるだろう。民間人材も増えるだろう。採用の改革が必要だと思っていても、踏み出しにくい部分をデジタル臨調の枠組みで三大臣会合を設置し、デジ庁が先鞭をつけたのだ。ぜひこちらも他の省庁に活用してもらいたい。

このように、デジ庁をモデルとして霞が関文化の大改革の扉を大きく開くことができた。「行政の無謬性（むびゅうせい）神話からの脱却」という大掛かりなコンセプトも提示した。長年政治や永田町をウオッチしてきた人々には興味深いテーマとして受け止められているようだった。今後の定着、展開にも関心を寄せてもらえたらと思う。

第5章

デジタル大臣鼎談

日本をデジタル化する司令塔として、２０２１年９月に発足したデジタル庁。推進の基盤となるマイナンバーカードの申請件数は22年12月に８０００万件を超え、官公庁や地方自治体のＤＸ（デジタルトランスフォーメーション）も強力に推し進めている。その同庁をゼロから立ち上げてきたのが、初代デジタル大臣の平井卓也氏、２代目の牧島かれん氏、現大臣の河野太郎氏だ。今も一枚岩となりスクラムを組む３人が初の鼎談を行い、日本のデジタル化のこれまでと現在地、そして未来を存分に語った（聞き手は日経クロストレンド編集長 佐藤央明）。

――今回、元デジタル大臣の平井さん、前大臣の牧島さんにデジタル庁（デジ庁）まで来ていただき、現大臣の河野さんとともに鼎談する企画が実現しました。平井さんは久しぶりに同庁に来たわけですが、そもそも霞が関ではなく、この場所（千代田区にある東京ガーデンテラス紀尾井町19階、20階）にデジ庁を構える決断をされたのが、平井さんご自身ですよね。

平井卓也（以下、**平井**）そうなんです。実は、ここの方が霞が関界隈（かいわい）より条件が良く、我ながら良い決断だったと思います。

河野太郎（以下、**河野**）ただ、ランチがちょっと苦労するよね。

牧島かれん（以下、**牧島**）下の階に行けば、パスタとか焼き鳥弁当、親子丼とかありますよ。

河野　けれど、その焼き鳥弁当の値段を見たら、結構高い（笑）。他もランチの値段は高い。

牧島　毎日のことだと職員の皆さんは大変かもしれないですね。手ごろなところでは成城石井のお弁当はおいしい。

平井　後は、フレッシュネスバーガーもあるよ。

河野　フレッシュネスバーガーはおいしいね。

牧島　下にあるカレー店（エリックサウス）も有名店ですよね。ところで、今日はこんな話で盛り上がっていいのでしょうか（笑）。

河野　1階の広場には日替わりでキッチンカーも出ている。僕が好きなメニューはソーキそばとか。

牧島　まだご飯の話してる（笑）。こうして、3人は連携が取れているということで。

霞が関的なヒエラルキーをぶっ壊した組織

――フランクに話せる間柄ということですね。では、改めまして3人の鼎談を進めていきます。皆さん、デジタル大臣を経験され、それぞれ思いや苦労した点があるかと思います。平井さんから順番にお話しいただければと。

平井　僕の場合、初代デジタル大臣に任命される前のデジタル改革担当大臣として、関連5法案（注1）と総務省の1法案（地方公共団体情報システムの標準化に関する法律案）の計6法案を通さねばならなかった。規制改革に関することで、本来、河野さん（当時、規制改革担当大臣）のところで出すべきものもこっちで引き受けたのです。さらに、あのとき大きかったのが、個人情報保護法関係3法を改正して1本の法律にしたのと、地方自治体の条例との関係も分かりやすくしたこと（注2）。こうして、多くの法律を通すことと、それと同時にデジタル庁をスタートさせるための人の確保、オフィスの確保を短期間で一気にやったという意味では、ものすごく忙しかったですね。

デジタル庁という影も形も設計図もない組織を実質11カ月で立ち上げる中で、法律も同時進行。ポイントは、高度情報通信ネットワーク社会形成基本法（IT基本法）を廃止して、デジタル社会形成基本法を成立させたこと。これが日本における〝デジタル化の憲法〟で、これからずっと受け継いでいくことになるものです。この法律を作るために、民間の有識者との会議ももののすごい回数を行った。朝7時から先にやっておいてもらって、途中から私が参加する2段階方式にしたりして、ほとんどをウェブ上のリモート会議で実施したんです。

ただ、かえってウェブの方が効率的な点が実はあって、もちろん、人間同士で直接会って決めなければならないこともあるんだけども、色々な情報共有を積み上げていったりとか、意思決定に至るまでのプロセスの意識合わせみたいなものは、デジタルで十分にできることを肌で感じたわけです。まあ、現実的には（新型コロナウイルス禍で）デジタルでやるしかなかったのですが。

そうした過程を経て、デジ庁が2021年9月に立ち上がり、牧島さんにバトンを渡し、それが3代目の河野さんに受け継がれていくわけなんだけど、当初作ったデジ庁のミッション・ビジョン・バリュー（MVV）の延長線上で河野さんには組織を強化してもらっている。今1000人くらいになったのかな。

河野 現時点（22年12月）では800人。今後、200人増やすから、来年度で1000人ですね。

平井 大きくなったなと思いますよね。私が大臣のときは600人だった。それも、かき集めた600人だからね（笑）。

――確かに目的も考え方もバラバラの人がとりあえず集まったのが当時の組織。そこからMVVを共有していくことで変わっていったんですね。

平井 それに加え、霞が関的なヒエラルキーをぶっ壊した組織をつくろうということで、プロジェクトベースで物事を進めようとした。ただし、こういうフラットな組織にしようというのは、頭で分かっても霞が関の人たちは体がついてこなかったね。今でもついてきていない部分もある。

牧島　ただ、このデジ庁内はフラットな文化が大分醸成されました。

平井　僕は、霞が関とは最もそこが、違う点だと考えている。だけど、やっぱり、時間の経過とともに、普通の役所になろうとする力が働くとも思うしね。その力に対抗するため、「Government as a Startup」という言葉を僕が作ったんだけど、とにかく大胆かつスピーディーに社会全体のデジタル改革を主導していくのがデジ庁の役割。加えて、常に自分で自らの組織を見直して変えていくということを、インプリ（実装）しておかないと、いずれ時代に合わない組織になってしまうし、環境の変化に耐えられないと思うんだよね。

既に、サイバーセキュリティーの問題とか、Web3系の話であるとか、個人情報やプライバシーのことなど、デジタル化を取り巻く問題や関心事が常に変わっているし、特に今はＡＩ（人工知能）がとんでもないことになっている。ＡＩが社会実装されていく中で、デジ庁の役割も非常に大きく影響を受けると思うんだよね。

牧島　デジ庁には完成形が無い、というのがおそらくポイントで、常に変わり続ける、成長し続ける役所ができた、ということに注目してもらいたいなと私も思っています。霞が関とか行政とか役所というものは、型通りで変形が利かないものだと思われがちだから、その常識を覆せたら面白いですね。

――サイバーセキュリティーについては、先日（22年12月）、来日した米国家サイバー長官のクリス・イングリス氏とも議論を交わされました。

平井　結局、日本の官民によるDXの中でサイバーセキュリティーを考えるのは、デジ庁の仕事。デジタルガバメントを進める上で、行政サービスをクラウドベースに乗せていくとなると、当然のことながらサイバーセキュリティーという問題は重要で、これが刻々とものすごい速さで技術や状況が変わるんだよね。

平井卓也氏。デジタル庁発足前にデジタル改革担当大臣などを歴任し、21年9月1日、初代デジタル大臣に就任。デジタル庁の基礎をつくった

それに対応するために、米国も司令塔機能を新しく見直したばかり。僕と長官は、官民の情報共有のやり方なども話して、それが非常に有意義でした。要するに、役所とか政府間の情報共有だけでは不十分で、常に官民一体となった情報共有じゃないと意味がないということ。ガバメントオフィシャル（政府官僚や公務員）だけがいくら情報交換したって、サイバーセキュリティーは全く機能しない。そうなると、デジ庁は、システム関係予算としてNISC（内閣サイバーセキュリティセンター）の予算も見ているわけだし、実はGSOC（政府機関情報セキュリティ横断監視・即応調整チーム）の予算もデジ庁が要求するということだし、システムのセキュリティーに関してはいや応なく、デジ庁がフロントに立つことになると思うんですよね。だからそれに対する人材の確保も進めつつ、常にデジ庁は要請に応じて機能を変えていく必要があるんではないかと思っています。

牧島　イングリス長官とは私も大臣時代に2度オンラインで意見交換をし、来日に合わせて対面でも面会をしました。長官の言葉で「日米には類似した脅威があるわけではない。全く同じ脅威に直面しているのだ」というのが印象的でした。

デジ庁は〝政治主導〟でつくった

——では、大臣に就任した順で牧島さん、お願いします。

牧島 私は平井大臣からデジ庁が発足して1カ月のときに引き継いで、11カ月まで育てて、もうちょっとで1歳になるというときに河野大臣にバトンを渡した。私たちにとってデジ庁って子どもみたいなものだと思うんですよ。生まれたての赤ちゃんを預かり、栄養をたっぷり与え、愛情をたくさん注いで大きく育てていっている。

確かにデジ庁は省庁の中では最年少で、私自身も大臣として最年少だった。けれども、一番若いからといってバカにしないでくれというプライドは持っていましたね。私は、「デジ庁プライド」と言っていたんですけど。私たちには司令塔機能もあるんだし、デジタル社会全体のことを所管する役所という大役を担っています。単なる赤ちゃんではなく、デジ庁はまさにビッグベイビーであるということ。

平井 そうだよね、トップは総理大臣だしね。ここのところを意外と忘れられるんだよね。

――平井さんから受け継いだもので絶対これだけはやり抜くと思っていたことは。

牧島　やはり、霞が関の文化を変えることですね。官民が参画する組織というものが他の省庁には無い形態だから、デジ庁がショーケースになるんだ、ここがこれからのモデルになるんだ、ここが最先端なんだということは常に意識して物事を進めていました。また、大臣就任前、平井先生や私は自民党の中で、「デジタル大臣はサイバーセキュリティーと行革と規制改革の大臣を合わせてやるべきだ」という提言をまとめて出していたので、私が大臣だったときは、その提言通りに行えたことも1つの画期的な出来事だと思っています。

――逆に、平井さんから引き継ぐ際に注文したことは。

平井　いや、牧島さんは自民党でデジ庁をつくる構想をまとめていたデジタル社会推進本部の事務局長だったので、すべてを分かっていて何も言う必要が無かった。そもそも、デジ庁を設立する話も、どういう機能を持たせるべきかという話も、政治主導で党で決めてつくっていったものです。その際、座長の甘利（明）さんと事務局長の牧島さんには、関連5法案の扱いも含めてフルで支えていただき、そのおかげで、短期間で法律を通すことができた。だから、デジ庁は党のデジタル社会推進本部とデジ庁新設に向けて活動していた準備室の共作なんだよね。

僕は、最初の時点の工程表では、1年半はかかると思っていた。しかし、21年9月にデジ庁を発足させるとお尻が切られ、工程は準備室（デジタル改革関連法案準備室）の発足から1年に短縮化。切られたおかげで全部がスピードアップしてうまくいったともいえます。逆に言うと、本気でやれば短期間でできる前例ができてしまった（笑）。

すごい勢いで、うわっとつくったものを牧島さん、河野さんに受け継いでもらった。したがって、いまだに走りながらつくっているという状態が続いていると思うよね。

河野　平井さんが菅内閣でデジタル改革担当大臣のときに、僕は規制改革担当大臣をやっていました。そこで、例えば役所の文書で押印をなくすなど、色々な規制をなくさないとデジタル化できないよねということで、2人で「2プラス1（2人の閣僚が一緒に各省庁の閣僚と政策推進を打ち合わせる仕組み）」という枠組みをつくりました。

平井　そうそう、私の部屋に他の大臣を呼んで2人でかなり厳しい押し問答を繰り返していた（笑）。

河野　「2プラス1」は事務方を入れずに大臣だけでやりましたよね。

平井　事務方が同席していないから、そのとき、我々が何をしゃべったのか、何をやっていたのかは我々しか知らない（笑）。

河野　あのときは結構、ガチンコで議論していましたが、今の2プラス1は、「この規制をやめます」というと、そこに向けてまとまっていく、割と穏やかな話し合いの場になっています。他の大臣にとっては、我々が要求し

河野太郎氏。22年8月から第3代デジタル大臣。外務大臣、防衛大臣、ワクチン接種推進担当大臣なども歴任

たデジタル改革に関する宿題を提出するような場になって、あの頃とは若干違っている印象です。

牧島 それだけデジタル化の流れが他の省庁にとっても「当たり前」になった、と言えるかもしれませんね。

圧倒的に足りないリソースの中、注力テーマを4つに厳選

――では、その流れで河野さんが大臣として感じている課題を聞ければと。

河野 デジ庁ができて、牧島さんが平井さんから引き継ぎ、私もこのデジ庁の大臣室に来て、焼き鳥弁当をごちそうになりながら話を聞いていて「大事業だな」と思ってはいました。そんな中で、22年夏に私が後任をやることになりました。着任したときの率直な感想は「平井さんも牧島さんも、2人ともよくここまでできていたな」ということ。私の就任時、職員が約750人の中で、走っているプロジェクトが百何十もあったわけですから。これでみんなよく回していたよね、というのが正直なところです。

管理職の在庁時間（正規の勤務時間外に庁内で仕事をした時間）も調べてみました。すると、月に80時間以上の人が続出していたんです。そこで、月に80時間を超えている人が、説明などで大臣室に来るときにわかるようにしました。そうでもしないと、またその人に仕事を振ってしまってますますオーバーワークになっちゃいますので。タスクの見える化を図ったのです。

――プロジェクトの数に対してあまりにも職員が不足していた。

河野　そう。とにかくこのリソースで全部行うのはちょっと厳しいと感じました。そこで、重点的にやらなければいけないテーマ、優先的に行うべきものを決めるため、デジタル監（他の省庁では大臣補佐官・事務次官に相当する役職）に、各所にヒアリングをして緊急性が低いプロジェクトはいったん止めてリソースを再配分するようにお願いしています。

そうして決まった重点テーマの1つがマイナンバーカード。これは、岸田（文雄）総理から「マイナンバーカードは河野さんのところでやってください」と言われた経緯があり、おかげさまで、申請者数は22年12月半ばに8000万枚以上となり、近いうちに運転免許証(約8100万枚強)を超えて、日本で一番使われている身分証明書になると思います。その関係で、マイナンバーカードを使って便利なサービスを行うにはどうしたらいいかを企画し、その広報もやらなければいけないというのが重点事項の1つ。

もう1つが、1741に上る地方自治体の行政システムを、クラウドサービスとしてガバメントクラウドに乗せること。この話をすると、「できません」と言う自治体もあれば、「うちは大丈夫、できます」という自治体もあり、これらのサポートをどうしていくかというのが2つ目。

次がアナログ文化の撤廃。これは、「日本はまだフロッピーディスクを使っている」とBBCが世界に発信したもんだから、有名になってしまったテーマですね。そのニュースを見て、外務大臣時代のカウンターパート(同格者)だった人からたくさん電話がかかってきて、「日本でフロッピーディスクは今いくらで売っているんだ」とか、「そのフロッピーディスクは何インチなんだ」とか聞かれて(笑)。だから、そうしたアナログ文化を直そうよというのが3つ目。先日も国交省に画像をカラーフィルム写真で提出する規則があり、それを改正してデータ送信でも可能とした件があったばかりです。

そして、4つ目が、23年に日本で行うG7(サミット)に向けて、DFFT(Data Free Flow with Trust:信頼性のある自由なデータ流通)、つまり、国境を超えたデータ移転をもう少し国際的に促進させること。

この4つをメインにして、それで足らないところにはリソースを増やしていって、23年は1000人体制で進めていこうと。ただ、問題はどうやっていい人を採用するかですね。デジ庁は週3日勤務の非常勤でも採用できるようになっていて、これは平井さんのときに作った規定ですよね。

平井 そうしたからこそ、有能な人材を集めることができた。

河野 そう。給料を丸々払おうと思っても、事務次官より上の金額はだめだとか決まっていて。だから週3日勤務でその分だけ支払うから、後は他の会社なりに勤務して自分で稼いでとお願いするしかなかった。そうやって、1000人体制の枠をどう埋めていくかというのと、後は、地方自治体から出向で来てもらい、手伝ってもらいながらその人たちをスキルアップさせて自治体にお返しをしますということをやっている。今は、いろいろな自治体から100人以上が来てくれています。

平井 出向者にはデジ庁の仕事が面白くて、帰りたくないと言っている人もいるとか（笑）。いい職員がいっぱい来ている。

河野 デジ庁では自治体から来てくれている人がプロジェクトの中心になって活動したり、民間のＩＴ人材が「もう霞が関に何十年もいます」といった顔をして、案件を回していたりして（笑）。霞が関からの人材も含め、そこは、前任の平井さんと牧島さんの2人がいい人材を集めてくれていたおかげですね。霞が関は何年かするとローテーションする決まりで、その人材も出身省庁に戻ってしまいますが、「代わりに来る職員が良い人材でなければ、戻さない」みたいな交換条件の提示を、これからやっていかなきゃいけないとも思っています（笑）。

牧島 霞が関も自治体も民間もそれぞれ出身母体は違えど、いずれデジ庁を卒業する日は来るかもしれません。ただ既に同窓会はできていて、このネットワークがデジタル社会推進のエンジンにもなるのではないか、と期待しているんです。出身省庁にそれぞれ戻って、デジ庁スピリットとも言える、デジ庁の考え方を広めてもらうのも大事なことだと思います。

デジ庁と党で役割分担をして推進

平井 あと、23年は法律を出さなきゃいけない。デジ庁はシステムだけを見ているわけじゃなくて、法律を作って出すという機能も持っていて。これがなかなか大変。

河野 23年はマイナンバー法改正を含む法案提出など、結構重いですね。22年は当時の牧島デジタル大臣がキャッシュレス法案を提出したとき、自民党の総務会で私が因縁を付けたといって、牧島さんに叱られた。より広く法律の趣旨を浸透させるための懸念事項を伝えたつもりだけど、私の法案に何因縁を付けてんのよと（笑）。すみません。

牧島 私、叱ってばっかりキャラになっていませんか？（笑）河野大臣が就任されたときに「デジタル大臣は日々のお買い物もキャッシュレスが標準ですから」と申し上げたら、大臣が「クオカード使う」とおっしゃったので、「クオカードはデジタルではありません」と言いました。「牧島さんに叱られた」ネタとして河野大臣がエピソードトークでメディアでも使うもんだから、すっかり私が「叱る人」みたいなイメージになっちゃったんですよ。

河野 (笑)

平井 法律を出す機能も持っている役所っていうのは、海外のカウンターパートを見たときにもなかなかいないよね。

牧島 そうですね。デジ庁のように、政策や法律制定もやるし、予算もシステムも見るし、手も動かすし、国際連携もやるしというのはなかなか見当たらない。政策決定の部署と、実際にシステムを動かす部門は別に存在している国もありますね。

牧島かれん氏。21年10月、岸田文雄内閣発足時に第2代デジタル大臣に就任。22年8月まで、約10カ月にわたってデジタル庁のかじ取りを行った

平井　今後、これらを分離するっていう考え方も当然あるんだよね。海外だって、デジタル関連の組織はつくっては変え、つくっては変えをやってるじゃない。１０００人超えてきたら、分離を考えるときが来るかもしれない。あと、組織をつくっていく上では、デジ庁の人気が落ちるとまずい。

河野　デジ庁に行きたくてしょうがないというふうにしないとね。

平井　来た人が「デジ庁に来てよかった」と言ってくれないとね。けれども、今のところ人気は高いよね。

牧島　民間人採用では倍率が20倍ですからね。

河野　ただ、人数が１０００人体制になっても、結局、全部はやり切れない。だから、平井さんや牧島さんがデジタル大臣退任後に党に戻って、デジタル本部を動かしてくれているっていうのが本当に助かっている。Ｗｅｂ３やＡＩなど長期的な視点が必要な政策絡みは、まずは党で進めてもらって、デジ庁は、とりあえず庭先を掃くこと、すなわち、すぐにやらねばならない施策に専念する。その後、党から出てきた色々な提言をデジ庁が受けるというような役割分担ができていると、こっちは勝手に思っています。Web3の話が寄せられたら、「はい、それは党でお願いします」、AIの話が来たら、「はい、それは平井さんのところでお願いします」と（笑）。

牧島　デジタル本部（デジ本）では常に「実行するには政治的な決断が必要な、いわゆる受け取るのが難しい『高めの球』を総理や大臣に投げる」ということを心がけてきました。「足元の情勢では厳しくても、将来に向けて取り組んでもらいたいこと」を政策提言としてまとめて投げてきた。自分が受け取る側になるなんて想定していなかったから、いざ大臣になったら正直「この球（難易度）高いな」と「ホームラン打つの大変だな」と思いました。でも、平井大臣もヒットを打ってつないで来てくださったし、私も塁を進めることはできたかなと思っています。Web3の提言もその前身である「NFTホワイトペーパー」としてデジタル本部から私のときに受け取りました。今、デジ本に戻ってさらに高い球をつくっています。受け取る側の苦労も知りましたが、やはりデジ本の役割はどれだけ良い球を磨き上げて届けるか、にあると思うので。

平井　デジ庁と党で情報共有さえきっちりできていれば、何の問題も無いよね。そして、大事なことは、デジ庁が各省の協力をどうやって取り付けるかということ。全部デジ庁で抱えちゃうと倒れちゃうから。だから、各省に〝振りつける〟。そこが難しいところで、ちゃんと振りつけないと違う方向に行ってしまう。

河野　各省もそれぞれ温度差があって、今ものすごく（デジタル化を）やる気なのが、農水省。関係者が聞いたらちょっとびっくりするかもしれないけど、たぶん霞が関で一番前向きで、着々と進んでいるのは農水省でしょう。

牧島　私も聞かれたら農水省っていうかもしれない。

平井　霞が関ＤＸやる気度ランキングがあるとして、１位が農水省というのは３人で異論が無い。２番目が難しいよな。でも、農水省の１位は間違いない。

――他省もその水準に持っていきたいところ。

河野　ただ、こればかりは若干、人によるところもあって。理解してやる気があって、そこにリソースも当てはめるということが、農水省ではきちんとできている。むしろ次の狙い目は農水省から人を展開すること。

平井　農水省は、省内でデジタル化の注目度が高く、エコシステムができている。通常、省内でシステムを担当していると目立たず地味な存在になってしまいがちだけど、それではダメで。

河野　私が規制改革担当大臣をやっているとき、国交省の自動車局の局長と、管轄する運輸支局を視察に行ったら、事務所の中にベルトコンベヤーが敷設され、物理的に紙の書類を流している光景に出くわしたんです。申請書を1人が手に取って見て、承認したら次に流してと……。これが、2020年の話です。一緒に行った局長は絶句して、「これは自分たちもデジタル化を本気でやらねばいかん」と。

それからは、その局長が俄然（がぜん）やる気になって。車検の手続きをインターネット上で24時間申請できるワンストップサービスや、引っ越し後のナンバープレートの変更も次の車検までやらなくていいという改正など、規制改革とデジタル改革を合わせて進めていったんです。だから、理解をしてやる気がある人がちゃんとそこにリソース配分をやってくれれば進むんですよね。

平井　最近、法務省なんかもついにやろうかという人が出てきた。

河野　行政がデジタル化を行っても、司法と立法が取り残されて、今までは遅々として進まなかった。

平井　そこはこっちも口出しできないところだからね。

牧島 それでも、ようやく動き始めましたね。裁判のデジタル化も進んで、以前の法務省は堅い役所という印象が強かったですが、デジ庁と会話をする機会が増えることによって、変わってきたような気がします。

各国デジタル施策の広報合戦

――デジ庁が発足することによる波及効果は、色々な省庁に及んでいるというのが実感としてあるようですね。

牧島 司令塔機能とはいえ、「これやってください」と命ずるというよりは、先ほど、平井先生がおっしゃったみたいに、協力してもらうために、どうやって関係構築をするかみたいなところは、かなり心掛けてやってきたつもりではあるんですよね。それが奏功しているのではと思います。

平井 けれども、やっぱりデジタル化の遅れというのは、我々日本人は認識しなきゃいけないと本当に思うね。この国の将来を考えたとき、デジタル経済圏の中での成長力、競争力なしには戦えないから。韓国や台湾にも事実上抜かれているよね。

牧島 諸外国との比較で言えば、地政学上のリスクと国民の意識というのにも関連性はあって、そうした要素もデジタルの推進スピードを左右する、というのが私の分析です。

河野 私が外務大臣時代、外務大臣会合を2国間でやるときは、「日本は援助をする用意があるから必要なことは言ってくれ」と言っていたのに、デジタル大臣になって会談をやると、「日本のデジタル化のために我が国は援助をする用意がある」と逆に言われる（笑）。コロナ禍で一気にこれだけやったぞ、とアピールする国が多いという印象もある。

平井 そうなんだよ。日本が先頭を走っているとは思われていない、ってことを我々は認識しておかないと。それだけ、各国はデジタル化に力が入っている。

河野 特に、バーレーンやカタールなどはコロナ禍で一気にデジタル化を進めたことを強調していますね。

牧島　コロナ禍でも権威主義国家の方が国民のデータを活用した対策が打ちやすく、より効果的な施策になるのではないか、という指摘もありました。しかし、プライバシーを保護した上でイノベーションを起こしていく、しかも巨大IT企業任せにしない、という点が日本の特徴になると思っています。分野によっては日本がリードしている技術もある。ただ、みんな頑張っていることを各国がアピールしているフェーズに入っているから、私たちも広報はしないといけないですね。

――デジ庁が日本のDXを主導するために、より厳しく勧告権（行政のデジタル化に関してデジ庁が他省庁に意見を勧告できる権利）を行使するという考え方もあります。

河野　勧告権は〝伝家の宝刀〟みたいな位置づけでありますが、私は就任時の最初の記者会見で、「必要だったら積極的に活用する」と言ってます。〝伝家の宝刀〟ではなく〝菜切り包丁〟くらいの普段使いのイメージで伝えたつもり。おかげさまで今のところは使っていませんが。

平井　その一言が効いているんだよね。勧告権は使ったらいいと思いますよ。そういう局面も必ず来ると思うんで、躊躇せず。

牧島　私のときは勧告権は使いませんでしたが、持っているという意義はやはり重い。各省庁、勧告権を持っているデジタル庁、として意識していたのだろう、と受け止めていま す。その上でこちらとしてはまずは協力を要請する、その姿勢が大事だったと最初の1年目を振り返ると感じています。

――ただ、まずは農水省のように変わっていってもらうのが一番良い。

平井　そう、自ら変わらないとね。誰かに言われて変われるものでもないんですよ。本人が納得して、自ら変えようという気にならないと。そこなんだよね、日本のデジタル化って。無理やりやらされるものではないし、もっと言えば、デジタル化は目的ではないし。自らこう変わりたいと思う手段としてデジタル化があるっていう認識をもっと広げていかないと、日本の競争力は戻らない。

牧島　おっしゃる通りだと思います。デジ庁任せにさせない、どの省庁も当事者である、ということだし、社会全体で見ても、一人ひとりがデジタル社会のプレーヤーになってほしい。

——デジ庁と同様に、他の省庁も民間の人材を入れていくというやり方もある。

平井 金融庁なんか、そういう意味では最近変わってきたよね。民間の人たちが入るとガラッと雰囲気が違ってくる。あそこは、一種のリボルビングドア（回転扉を通るように、人材が官公庁と民間を自由に出入りすること）ができている。もう、財務省とはえらく雰囲気が異なっている。

現れ始めている「スター自治体」

——広報活動が必要とのことでしたが、「デジ庁が発足して目に見える成果が出ているのか」という話がどうしても付きまとい、風当たりの面で逆風の部分もあると思います。どうやったら、そういう人たち、官公庁の方たち、一般の国民、マスコミなどに味方、応援団になってもらえると思いますか。

平井　これは河野大臣の説明能力、リーダーシップにかかっていると思うよ。河野さんの持ち味は、共感を呼ぶリーダーシップ。強力に推進したワクチンのときと同じ雰囲気が、今はあるよね。あれだけ、各方面でマイナンバーカードの質問に積極的に答えている姿もそうだし、河野大臣の発信力はデジ庁にとって、ものすごくプラスになるので。後はネタをどれだけつくれるかだよね。

河野　ワクチンのときは、皆が打ちたいという中でどう供給するのかが最も大きなポイントだった。同様に、マイナンバーカードは便利だよねと、早く使いたいんだけどなかなか来ないんだというように供給を待つ状態に持っていきたいですね。今は「マイナポイントを付けたい」というのが先に立っているけど、次は「マイナンバーカードを使いたい」と思えるサービスにどうつなげていくかというのが大事で。前橋市は、福祉タクシーを利用している人の9割以上がマイナンバーカードを持って使っている。この例のように、便利なサービスと紐づけば、皆早く「カードが欲しい」となるはずです。

平井　思い返すと、コロナのときに10万円の給付ってあったじゃない。あのときのマイナンバーカードは本来あるべき便利な使われ方をされなかったよね。10万円給付することにかかるコストやスピードがあまりにも多大で、日本のデジタル化の遅れってものすごくあからさまになったと思います。そんな反省もあり、法律を制定し、公金受取口座の登録制度を設けることになった。

この公金受取口座を国民が登録すれば、給付はプッシュ型で即時に終わる話なんだよね。それを日本では、国民が申請書を書いて、職員が口座を確認して振り込んでということを、永久にやろうとしていたわけだよ。それが当たり前になっていたんで。だから、そういう今までの当たり前を当たり前でなくしていくことがデジ庁の仕事なので、これから一気に変わると思いますよ。

牧島　公金受取口座の登録はまさにコロナ禍に国民の皆さんからの声で設計したもので、当初閣法（内閣提出法律案）より議員立法の方が成立が早ければその道もあると思って、法案を準備して各政党へ説明に回りました。最終的には平井大臣の下で閣法での提出となりましたが、それまでの間、理解者を増やしておくことはできたと思います。

――広報活動はどのようにしていきますか。

河野　それ以前に、やはり、いかに優れたモノやサービスを提供できるかだと思います。広報がいくら良くたって、提供するモノやサービスが良くなければ本末転倒なので。「マイナンバーカードを使ったらこんな便利になりますよ」という具体例をどんどん積み上げていくっていうことにすべてが掛かっている。

平井　新型コロナウィルス接触確認アプリ「COCOA」は、サンセット（終了）になったでしょ。あれは、デジ庁が作ったものではなく、最後に引き取ることになって、役割はそれを終わらせることだったんだよね、結局。一方で評判が良かったのが「VRS（ワクチン接種記録システム）を活用したワクチン接種証明書アプリ」だよ。これはいろんな人に、

「こんなちゃんとしたアプリを、わずか2カ月でよくつくれた」と言われた。デジ庁が提供したもので現時点では一番褒められたものかもしれないね。

牧島 VRSの接種証明書アプリは今では当たり前になっているけれど、あれが無かったらどれほどの混乱が起きていたか。自分が何回ワクチンを打っているのか正確に証明することが求められる時代にVRSやアプリが無かったら、海外渡航もままならなかったでしょう。

河野 最初、ワクチン証明を厚労省は紙でやるって言ってたからね。

平井 ワクチン接種証明書アプリを使ってみて、「あれ、デジ庁のツールって使えるな」と思った人は多かったでしょう。同じように、マイナンバーカードにしたって、住民票や印鑑証明の交付を受けるのには便利で、これから「使えるな」と思える場面は増えていくはずですよ。

河野 あとは地方自治体がどこまで気合を入れてサービスを提供してくれるか。

牧島　先進自治体はだいぶ出てきましたよね。また、２０２５年度末までの移行を目指すガバクラ（ガバメントクラウド）に、すべての自治体が乗ってくれれば、景色は大きく変わると思います。

平井　マイナンバーカードの交付率って、今、トップが都城市（宮崎県）だよね。一時、加賀市（石川県）に抜かれたけど、１位を奪還したんだな。

河野　あとは、姫島村（大分県）は93・４％（22年11月末時点）で、町村では圧倒的にトップ。

——そうやって積極的に取り組むスター自治体が現れ、競争していくといい流れになりますね。

平井　都城なんか、子育て世代向けに、自宅まで行ってマイナンバーカードの申請を支援する出張申請を実施し、電子母子手帳の導入なども行っている。都城市の池田（宜永）市長は財務省の出身。あの方のデジタル化の取り組みは素晴らしいよ。

河野 都城市は、以前は企業などで5人集まったら市役所外でも申請を受け付けていたが、今は1人でも出張申請の車が行って受け付けている。

平井 きめ細かな対応が大事だね。

牧島 私の地元は5人だったら出張申請を行うようになりました。自治体同士、切磋琢磨していくことも大切ですね。

デジ庁は霞が関の〝希望の星〟

――「出張申請」は、ミッションにある「誰一人取り残されない」を体現した取り組みですね。では最後に、国民に奉仕するための組織になりつつある中で、何が一番大切なポイントになるのか、皆さんの考えを伺いたいと思います。

平井 デジ庁のMVV（ミッション・ビジョン・バリュー）は、絶対に変えちゃいけないところだと思う。結局、何のためにこの仕事をしているかっていうのを、MVVを念頭に時々立ち止まって考えないとね。それがなくてただ日々の仕事に追い込まれちゃうと、それをこなすことが目的化してしまうから。常に目的を問い、あらゆる立場を超えて、成果への挑戦を続けることが大事だと思うよ。

後は、僕は心底思うんだけど、デジ庁は、霞が関をざっと眺めて、唯一の〝希望の星〟(笑)。唯一というと怒られそうだけど。要するに、今までやっていないことを進めているし、日本が大きく遅れていた分野の成果を出せるプロデューサーみたいなもんだから。逆に言うと、デジ庁をつくってなかったら日本はえらいことになっていただろうね。日本の国ってどんどんこのままだと年老いて弱くなっていく中で、唯一未来の扉を開けられる環境をつくれるのがデジ庁だと思っている。今を守ろうとしている官庁とは常にぶつからなきゃいけなくて、変化することが当たり前だという方向性の先頭で河野大臣には走ってもらいたい。

やっぱり変えるっていうことは頭で分かっていても、いざとなると怖いと思う人は出てくるだろうし、既得権益とはぶつかるし。今までのやり方で飯を食っている人たちはたくさんいるんで、そういうところは強い覚悟で、変えるべきところは変えていくと。それが唯一できるところがデジ庁だと思うんだよね。だから唯一の希望の星と、僕は何となく今は思っています。

牧島 そうですね。公共の仕事に携わりたい、関わりたいと思っている人たちにとって、デジ庁が目指すべきところであり続けてほしいという点では同じ思いを共有します。最終的なビジョンは、国民の皆様にとって「平時の便利、有事の安心」を提供することが目的なわけだから。

河野 平時の便利、有事の安心。いいフレーズだな。

牧島 ぜひ、使ってください（笑）。そこに私

たちの仕事はあるんだということを心に置きながら、応援団をたくさん募りたいです。経済界も市民の皆さんも、場合によっては小学生、中学生もデジ庁やDXに関して皆さんの関心は高いし、プレーヤーに一緒になるよ、と言ってくださっていると思うんですよね。平井大臣のときも、小学生たちからの声をたくさん集めてくださっていた。経済界の要望も多く、デジ臨（デジタル臨時行政調査会）で進めるアナログ規制の改革も私のときには5000項目だったのが今は約1万項目に広がっているので、そういう仲間がたくさんいるというのを自信につなげてほしいなと思っています。

河野　デジ庁は、執行部隊でとにかくやらなきゃならないところをやって、バックアップを党や応援団からもらいながらやれているというのは、デジタル大臣としての安心感につながりますよね。

あとは、デジタル化で世の中、便利になった、変わりつつあるっていうところをいかに実感してもらえるか。あるいは、役所の窓口もデジタル化することによって、もっと注力してやらなきゃいけないところに人を回せるようになる。そんな例がたくさん出てくると、地方自治体ももっとデジタル化について前向きになってくるでしょう。家庭でも、いちいち子どもの学校の書類を書く必要がなくなれば、その時間を他の家事に回せるし、そういう効果が出てくると、デジタルいいよねとなる。

平井　デジタルいいよねって国民が思わないとな。デジタル推進委員（デジタル機器・サービスに不慣れな人に対し、講習会でデジタル機器・サービスの利用方法を教える取り組みなどを行う人材）ってもう任命した？

牧島　私のときは2万人でした。

河野　経済団体やボランティア活動をしている人たちの協力をいただきながら人数を増やしていきます。

牧島　さらに応援団の輪を広げていきたいですね。

平井　デジタル大臣に任命してもらえるのは名誉なことだと思ってくれる人もいる。

牧島　結構ツイッターとかでも話題に上がっています。

河野　今後はデジタル推進委員の皆さんに、どう日々、自分ごと化して自発的に活動してもらえるかが課題。

平井　やはり、大臣が認定してバッジを持っている人が色々なところで頑張ってもらわないと。デジタル化を進めるには、アナログで汗をかくっていうのは絶対に必要なことなんです。これは、台湾のデジタル担当大臣であるオードリー・タンさんも全く同じ意見でした。我々は、バーチャル空間で生きているわけじゃなく、アナログ空間で生きているのだから。

牧島　たしかに、デジタルデバイド（情報技術を利用できる人とできない人との間で生じる格差）対策には人の力が必要ですね。平井先生の下で私が事務局長としてヒアリングを行い自民党で発表した「デジタル・ニッポン2018～ハイタッチな『My Future Government』～」を思い出しました。ジョン・ネズビッツの著書『ハイテク・ハイタッチ』から着想を得たものでした。ハイテク・ハイタッチとは「テクノロジーを上手に取り入れながら、人間であるとはどういうことかを表現すること」とされています。この年のデジタル・ニッポンでは「デジタルガバメントは国民に寄り添うべきもので、国民のライフイベントごとに生じるストレスから解放されるなど、ユーザーである国民が安心して利便性を享受できるものにしよう」と提言しました。

さらに「テクノロジーが手のひらに乗っている時代だからこそ、押し寄せるテクノロジーをただ漠然として受け入れるのではなく、『人間としての経験の質』を高めてくれるかどうかを基準として、人間の生活を支え、改善してくれる『人間らしさ』を失わせないテクノロジーこそが大事なのではないか」とも書きました。「ハイテクではあるが、人との触れ合い、優しさ、思いやり、おもてなしといった日本的なハイタッチな要素を満載したMy Future Goverment」を2030年に実現しよう、と締めています。

これが約5年前の私たちの提言です。あたたかいデジタル化、とか、人に優しいデジタル社会といったコンセプトはずっと維持されているんだと改めて思いますね。そして施策に関して言えば、2030年より前倒しで進んでいるのではないでしょうか。スピードがぐっと上がったのはデジ庁ができたからですね。

河野　シンガポールなんかも、コミュニティセンターに行くと、デジタル推進担当の人が待ち構えていて、色々と支援をしてくれる。だから日本もそういうふうになって、困った人を助ける。公民館や市民会館に行くと誰かが助けてくれるようになるといいね。

牧島　デジタル公民館の３種の神器も発表しましたよね。スマートロック、Ｗｉ－Ｆｉ、スマート会議室。ここにサポーターとしての人も加わるイメージでしょうか。

平井　それにしても、僕が大臣だった2年前から、デジタルの世界はテーマがどんどん変わっているね。先ほど紹介のあった２０１８年のヒアリングでは話題にならなかったような

新しいトピックも出てきているし。バトンタッチをしたものに関しては、任せきって、次に行くことが僕の仕事だと思っている。今、党にはデジ庁で汗を流した小林史明事務局長、山田太郎事務局長代理がいて、実質的に党の中にもう一つのデジ庁があるようなもの。大串正樹副大臣、尾崎正直大臣政務官もデジタル本部の議論に参画してくれていた。

その意味で言えば、デジ庁と党のリボルビングドアは完全にできている。そうやって人材が循環している点でも、デジ庁や日本のデジタル化は注目すべき施策なんじゃないのかな。

牧島　デジタル大臣とデジ庁を、大臣経験者としてこれからも仲間と共に支えていきます。

注1）関連5法案とは「デジタル社会形成基本法案」「デジタル庁設置法案」「デジタル社会の形成を図るための関係法律の整備に関する法律案」「公的給付の支給等の迅速かつ確実な実施のための預貯金口座の登録等に関する法律案」「預貯金者の意思に基づく個人番号の利用による預貯金口座の管理等に関する法律案」

注2）「個人情報の保護に関する法律」「行政機関の保有する個人情報の保護に関する法律」「独立行政法人等の保有する個人情報の保護に関する法律」の3法を統合して1本の法律にする

と同時に、地方公共団体等の個人情報保護制度を統合後の法律の中で全国的な共通ルールを設定するなどの法改正を実施した

第6章

理想とするデジタル社会とは？

デジタルが目的化していないか？

私たち政治家は哲学が大切だと思っている。政治哲学のような狭義の意味ではなく、本質や理念にまつわることだ。この章ではデジタル政策に向き合うときの自分なりの哲学として、私が大事にしていることについて事例を交えて紹介していきたいと思う。日本のＤＸ化を進める上で、常に心に留めてきたこと、とも言えるかもしれない。

最も大きなことは、デジタルが「できる人」と「できない人」の分断にならないようにするには、どうしたらよいのか、ということだった。デジタル技術で何ができるか、どのように社会が変革していくのかを考えて、実装していくことは、最終的にどういった社会にしていきたいのか、ということに行きつく。逆に、どういった社会を目指すためにデジタルを活用していくのか、と言い換えることもできる。しかし、そこには「誰が」がつきまとう。

誰がデジタル社会を作っていくのか、その答えは「みんな」である。「できる人で」ではない。もちろんデジタル人材によって技術はリードされ、発展していく。しかし、あくまで社会を作っていくのは「みんな」（私たち）なのだ。だからこそ、「みんなで」ＤＸを進めよう、という気持ちになるにはどんな工夫や意識が必要なのだろうか、と常に考えてきた。

「できる人」をどんどん伸ばして成長戦略につなげていくことはもちろん進めつつ、苦手な人にデジタルの恩恵、楽しさを伝えることも大事なミッションである。私は党内でも長らくデジタル政策を担当する委員会や本部で事務局長を務めてきたが、IT関連企業の出身者でも通信会社で働いていた経験があるわけでもない。出発点に立ったときにはIT業界での豊富な知識があったわけではなく、先輩方に教わりながら学び、毎週何時間も現場の方々や省庁、関係者などと議論していくうちに、デジタル政策を積み上げてきたつもりだ。私自身がこうしたプロセスを経てきたからこそ、デジタルの専門家でなくても、医療や教育、防災、交通、農林水産業に関心のある議員にも、デジタル政策を共に進めるべく会議に参画してもらいたいと思ってきた。だからこそ「みんなで」の思いは強い。

デジタル社会は「便利になる」という局面が強調されがちだが、根本的には「デジタルというツールを生かして、誰もが多様な幸せを実現できる」ということが大事なのである。難しいことが簡単にできるとか、いつも何時間もかかっていたことが一瞬で終わるとか、そういった便利さは紛れもない恩恵ではあるが、便利になったり楽になったり、不可能なことが可能になることで、私たちの暮らしが豊かになること、個々人の幸せが実現できることにつながっていく。それぞれの幸せの形を求めることができ、個別のサービスを受けられる、ということなのだ。

デジタルはあくまでツール、道具であるから、それを使ったら何が実現できるのかにゴール設定を置くべきだ、と思ってきた。だから「合理的に進められる」がゴールではないし、便利で合理的なのだから進めるのだ、というより、その先の世界を共に描けるようにしていくことを常に心がけてきた。

「電子黒板を使えない教師は全員クビにしたらいいじゃないですか！」という発言を受けたことがあった。確かに、新たに開校した小学校の視察に行って、廊下に「黒板消しのクリーナー」が並んでいるのを見たときはショックだった。

「まさか、新品の教室に黒板？　どうしてそんなことになったの……」と私も聞いた。答えは「先生方が黒板が良いと言ったから」。「チョーク&トーク」にこだわった理由は何だったのだろう（これまでずっとそうして来たから、という以外に）、とは思う。でも、電子黒板を使えない教員を解雇して済む話じゃない。そもそもデジ庁に教員の採用権限はないけれど、それを横に置いても、プロセスというものがあるんじゃないか、と私は反論した。

先生がデジタルツールを使えないと困るのは確かだし、デジタルで補える部分をただでさえ忙しい先生が担うこともない。ただ学校という場でデジタル化による成功体験が足りていないのかもしれない、との思いがあった。

実際、校務のデジタル化を進めて、欠席連絡をオンラインで受けられるようになって「良かった」という教師もいる。インフルエンザが流行していたときなど、朝は電話が鳴り止まず、その対応に追われて、登校してくる子どもたちの顔を見ることもできなかった。今では、元気に登校できているかな、と確認することができるようになった。

教師は生徒一人ひとりと向き合いたいと思っている。その目標のためのツールとしてデジタル化が「機能している」と実感する。その成功体験が積み重ねられれば、それは校務だけでなく授業の仕方も変わってくるきっかけになる。「電子黒板を教室に入れること」が目的なのではなく、「子どもの成長を促す教室を作ること」が目的であるはずだ。ゴールを現場と共にしっかりと設定することで、新しい道具を使うのに抵抗があった人々の意識を変えていくのが大事なのだろう。

諦めずに済む社会を

「デジタルデバイド対策」について国会でも質問を受けることが多かった。デジタルが苦手な方への対応はもちろん重要な論点であり、詳しくは後段で記載するが、デジタルツールを使いこなせていない「高齢者」「障害者」というステレオタイプは気をつけねばならないと考えてきた。

ツールを使いこなすアクティブシニアはたくさんいるし、障害者だからデバイスの扱いが苦手とは限らない。むしろ有効活用している人たちが大勢いる。

東京大学の星加良司教授は、大学時代に共に日本学生協会基金（JNSA基金）で活動した先輩である。この団体は、高円宮杯全日本中学校英語弁論大会（高円宮杯の前身は高松宮杯）を開催する大学生の集まりである。星加先輩も私も中学生のときにこの宮杯に県代表として参加しており、星加さんは私が出場した前年の優勝者だった。そして、全盲だった。大学生として共に活動していると、視覚障害者とどのように接すればよいのか、自然と学ぶことになる。みんなで居酒屋に行っても「12時（の方向）に唐揚げ、3時にビール、6時に冷奴を置きました」という具合だ。ビールを飲み、語り合う。後輩の相談に乗ってくれる頼りになる先輩であって、障害があるから周りが守らねばならない弱き存在ではなかった。

そして、会議録はメールで送ると、即座にメールでコメントが戻ってくる。パソコンに読み上げソフトが入っていると、視覚に障害があっても電子的にやり取りができることを知った。だからこそ「マシンリーダブルであること」や「データファインダブルであること」が大事なのだと実感している。この学生時代の経験はその後の私の人生にも大きな影響を与えてくれたと思っているが、デジタル大臣としても、「誰一人取り残されない」デジタル化を進めるにあたっても、この原体験があったとも言える。

日本科学未来館の浅川智恵子館長との出会いも、私に大きく影響を与えている。大臣として同館を訪問し、浅川館長との懇談、展示視察を行った。日本科学未来館は「誰一人取り残さない、ダイバーシティーを大切にするインクルーシブな社会の実現に向けてアクセシビリティ技術の社会実装に寄与する」取り組みも行っている。浅川館長はＩＢＭ特別功労教授として活躍されているが、小学校時代にプールでのけががもとで徐々に視力が衰え始め、中学２年生のときに失明された。

視覚障害者であるが、プログラミングの専門家でもある。初めてお会いしたときに「コロナ禍で視覚障害のある方に情報をお届けするには、もっと工夫をしなければならないのではないか」ということを質問した。ワクチン接種の案内を封書で送っていても、視覚障害者がその封書の中身を確認できずにいた、という報道にも接していたからだ。封書に点字を付けるといった工夫をしているところもあるだろうが、さらにきめ細かく対応するのであれば、自治体の職員が自宅を訪問したり、電話をしたりする必要があるのではないか、という考え方もあった。

浅川館長の回答は「デジタルツールの使い方を伝えることではないか」というものだった。写真を撮影することでテキスト化する文字認識のアプリは既に活用されている。音声読み上げソフトもある。さらに言えば、郵送ではなくメールでお知らせを届ける方が迅速に確実に情報を届けられる可能性もある。

浅川さんは懇談中に、実際にスクリーンリーダーを利用してスマホでアプリを使うシーンを実演してくださった。どのようなアクセシビリティを意識すべきか、私たちに貴重な示唆を与えてくれた。「人生100年時代をどうテクノロジーで有意義なものにしていくのかを示していきたい」と浅川さんは話している。

日本科学未来館での展示ひとつとっても、障害のある人も高齢者もテクノロジーを使えば長寿社会への希望を感じられるはず、という信念に基づいて作られているように感じる。SF映画の未来がやってきた、という感覚にもなる。その象徴のひとつが、浅川さんが開発されたナビゲーションロボット「AIスーツケース」である。

私もAIスーツケースを触らせていただいた。目的地をスマホに登録すると、半歩先をスーツケースが進んでナビゲーションしてくれる。右に曲がるときには持ち手が右にブルブルと震えるなど分かりやすく、目的地に着くとピタッと止まって知らせてくれる。人などぶつかりそうな障害物は避けてくれる。

浅川館長と話しながらＡＩスーツケースと共にお散歩したときには「白杖をついて歩いていると、杖に神経を集中させているので、一緒に歩いている人とおしゃべりがなかなかできない。ＡＩスーツケースであれば、行きたい場所に案内してくれるので街歩きも楽しめる」と仰っていた。この技術を研究から実装に発展させるためには、実証実験を積まなければならないことも分かった。そのフィールドとして空港という実験場のプランも挙がった。「ＡＩスーツケースによって、視覚に障害のある方でも、思うままに自由な旅や、お出かけができるようになる」世界の実現に向けて、デジタル庁としても微力ながらサポートさせていただき、新千歳空港での実証実験に私も立ち会うことになった。

令和4年7月29日。夏休みの観光客で賑（にぎ）わう空港の搭乗ゲート付近で実験が始まった。ＡＩスーツケースで目的地のチョコレート屋さんまで無事に辿り着くことができるのか、スーツケースを持つ浅川さんの横に立って歩みを進めた。

ＡＩスーツケースは安全性が最優先。人より先を進んで、行くべき方向を誘導するスーツ

観光客で賑わう空港での実証実験を国内初で行った

ケースは、視覚障害者が壁などにぶつかることを回避しなければならないし、前方から来る人がスーツケースにぶつかることも回避しなければならない。だから、人が来たらスーツケースは止まる、という構造になっている。お手洗いの出入り口など人がひっきりなしに移動するような場所では、なかなかAIスーツケースが間合いを取って進むことができず、しばらく立ち止まってしまう時間もあった。

ピクリとも動き出さないスーツケースを手に、何が起きたのだろう……と不安も生まれる。ここでヘッドセットから「お手洗いの前を通過しています」とアナウンスがあれば、AIスーツケースの利用者も立ち往生している理由を把握することができ、場合によっては自ら何らかのアクションを取ることも可能になる。

このAIスーツケースが優れている点は、センサーによってぶつかりを回避するだけではなく、その場のマップを把握していることだ。屋外の地図と違って、建物内の地図やお店や情報を最新のものにアップデートし続けるのは簡単ではないが、空港や駅など交通施設の基本的な情報は音声化も含めてスムーズにできることが望まれるだろう。

私も実際に体験させていただいたが、短い距離ではありながらも、「空港」という普段から歩き慣れていない場所ということもあり、改めて日常生活において視覚から多くの情報を得ていることを感じた。ナビゲーションの音声によって搭乗口が近いことや、お手洗いの場所がどこにあるのか知らせてくれなければ、自分が今どこにいるのか全体的な方向感覚もつかめず、迷子になっていただろう。

今回の実験でAIスーツケースの高い技術に触れることができた。まず、目的地のお店に到着したら、くるっと90度回転して、お店と向き合うようにしてくれたこと。チョコレート店の最新メニューもデータがあれば紹介してくれること。好奇心からスーツケースの前にひょっこり様子を見に飛び出してきた子どもがいても、スーツケースの方がちゃんと止まって、ぶつかるのを避けてくれたこと。初めての空港での初めての実験でも、AIスー

アイマスクを着用し、視覚障害者がAIスーツケースを使用する場面を実体験させていただいた

ツケースはその役割を果たしたように思われた。そしてそのときのデータも、今後の研究のために有効活用されていく。

興味深かったのは、荷台を運ぶ空港内職員の動きだ。空港で働く人にとってはAIスーツケースを「スーツケースを持って旅をされているお客様」と認識するから、すれ違うときに職員の方が立ち止まって、お客様を優先しようとする。スーツケースの前で荷台が止まると、障害物と認識したスーツケースも止まる。しばらくお見合い状態になってしまった。盲導犬を連れていたり、白杖を持っていたりすれば、周りも視覚障害者だと認識して、すれ違うときにもスッと道を塞がないようによけるだろう。しかしAIスーツケースの場合は、障害のある方だと瞬時に見て判断されないので、通常障害のある方と接するときのような動きを周りが取りにくい。これが一つの気づきであった。

空港では「実験中」の旗などを立てず、自然体で浅川さん以外の視覚障害者にもＡＩスーツケースを使ってもらった。空港内で場内整理のために立っているポールなどを認識すると、ＡＩスーツケースも止まってしまう。急に立ち止まったことに驚いて、後ろにいた人から「止まらずに進んで」と強めに言われてしまった場面もあった。障害者がナビゲーションシステム、センサー、モーターを内蔵した特別なスーツケースで移動しているとは思われていないから、こんな声が発せられる。ここが悩ましいところなのだ。

浅川さんがＡＩスーツケースに「ライト」や「スピーカー」を付けるかどうかで悩んでいるらしいことは、報道などを通じて知っていた。私も気になっていたことだった。スーツケースの上部にライトがついて警報器のように光っていれば「他のスーツケースと違うな」と周りが気づき、「あ、障害者が移動しているのだから道を開けなくちゃ」となる。スピーカーで「道を開けてください」とアナウンスしながら移動できれば、混雑時もスムーズに進むことができる。

アメリカの空港で実験をしたときに、ＡＩスーツケースの進路にたまたま車椅子に乗っている人がいたことがあり、車椅子利用者から「このまま進んできたらぶつかるんだけど！」

と声をかけられたことがあったのだ。ＡＩスーツケースは車椅子を認識したら止まると分かっているので、ＡＩスーツケースの利用者は安心して進んでいるのだが、自力ですぐに向きを転換させることができない車椅子の利用者の方は、ずんずん向かってくる様子に恐怖を感じたようだった。

「ＡＩスーツケースなるもの」を見たことの無い人にとっては、「スーツケース」でしかない。その利用者も「障害のある人」ではなく「旅人」にしか見えない。白杖で旅をすれば、やはり目立った存在になってしまう。「思うままに自由にお出かけする」を実現するために、目立たないスーツケース型のナビゲーションシステムを選んだのだ。ＡＩスーツケースの存在を周りに気づいてもらうためにライトやスピーカーを付けるのか、それとも付けずにいくのか、どちらの選択であったとしても、それは大きく悩んだ末の一つの決断だと思う。私はＡＩスーツケースの存在を広く知ってもらうことや、取り組みをサポートすることを通して、浅川さんの判断を待ちたいと考えている。

ここでもう一点、周りに気づかれにくい障害について記しておきたいと思う。生まれつきチャレンジを抱えているケースもあれば、病気や事故を契機にチャレンジと向き合うことになる場合もある。杖や車椅子のユーザーでなくても、困難を抱えている人もいる。昨今では「ヘルプマーク」の存在も多くの人に認知されるようになったが、ヘルプマークを鞄などに付けることで、難病などの理由から優先席に座っている人が「若いのに優先席を使っている」といった指摘をされずに済むようになったとも聞く。優先席の利用者が仮に一見障害のある人に見えなかったとしても、「何か理由があるのかもしれない」と周りが想像力を働かせればよいのだとも思うが、マークがチャレンジを抱える人にとって安心材料になっているという側面もあるのが実態なのだろう。

聴覚障害者も見た目で瞬時に伝わりにくいこともあってか「声をかけたのに返事をしてもらえなかった」という反応にもなりかねない。私は手話の入門の勉強をしている段階にすぎないが、日本で手話をマスターしている人が多いとは言えない。

ここはデジタルの出番でもある。手話と音声による双方向コミュニケーションシステム（ＳｕｒｅＴａｌｋ）のデモンストレーションを見せてもらった。これは国立大学法人電気通信大学とソフトバンク株式会社の共同開発によるシステムで、自治体への試験提供などを行いながらコンソーシアムも立ち上げている。「聴覚障害者が健聴者と共に会議に出席する場面で発言のタイミングをつかみにくい」、「災害時に聴覚障害者が必要な情報を得るのが難しい」、「手話通訳士の人数が限られており、窓口などで手話で会話ができるソフトの開発が求められている」、といった背景から、手話とテキストによるコミュニケーションツールの開発が進められてきた。手話の特徴を抽出して、手話を認識し、テキストへと変換させるもので、AIが手話を学習することによって精度が上がっていく。

私も実際に体験したが、膝の上に手を置くことを手話のスタートと終了の合図として、画像認識が始まる。手話表現が似ているために異なる単語が抽出されてしまった場面もあったが、「病院の予約をお願いします」という手話をやってみたところ、正確にテキスト化された。具体的には「病院」「予約」「お願いします」という3つの手話を行ったのだが、助詞を補ってテキストにしてくれるだけのレベルには既に達している。実証実験に参加するユーザーが増えていくことでさらに精度が向上し、使われる場面も増えてくるのではないか、と思う。

デジ庁にはウェブアクセシビリティ担当として視覚に障害のある当事者が2人働いている。ウェブアクセシビリティは「利用者の年齢や身体的特性（障害の有無やその程度）、利用環境などにかかわらず、ウェブで提供されている情報や機能を利用できること」と定義している。また、合成音声で読み上げる「スクリーンリーダー」、画面上の文字を点字に翻訳して出力する「点字ディスプレイ」、画面全体を拡大したり色を変更したりできる「画面拡大ソフト」など画面読み上げ機能やズーム機能、色を見やすくする調整なども紹介して

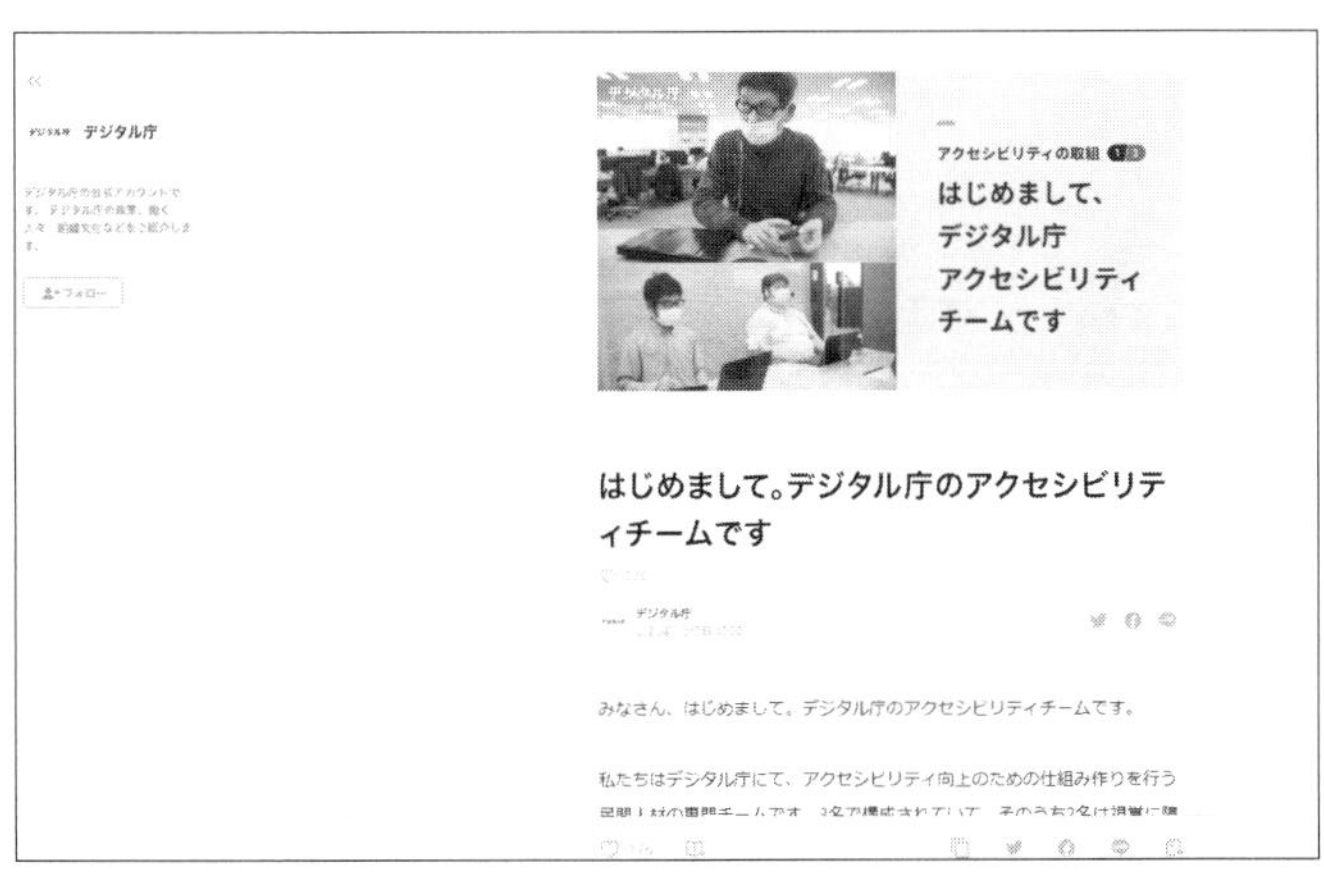

デジタル庁のホームページでもアクセシビリティチームを紹介している

いる。

アクセシビリティチームの主な業務は４つ。

●デジタル庁ウェブサイトにおけるアクセシビリティの確保・維持・向上に向けた取り組み
●デジタル庁が所管するサービス（マイナポータルやワクチン接種証明書アプリなど）のアクセシビリティ向上に向けた取り組み
●庁内外に向けたウェブアクセシビリティの啓発
●その他、アクセシビリティに関する様々な業務

障害当事者で構成される専門チームが活動していることに私は誇りを持っている。開発初期段階からアクセシビリティに配慮するこ

と、試作段階でアクセシビリティテストが容易になること、庁内外に対して実際に不便を感じている様子や改善案をより説得力を持って伝達できること、試験を内部で実施できること、アクセシビリティを考慮した調達や納品物の検収を行えること、といった効果がある。

公共機関のウェブサイトは情報量が多い。視覚的に把握してもらうために図を入れることもある。1枚で視覚的に把握しやすい、霞が関で多用されるいわゆる「ポンチ絵」は、確かに便利で分かりやすい。カッコいいデザインを求めると文字情報は減る傾向にもあるだろう。しかし、写真やロゴや図はスクリーンリーダーでは読めないので、図を説明する文章「代替テキスト」を入れる必要がある。報道機関がまとめるアンケート調査の結果なども、表や数字で表示されているものをよく見かけるが、回答部分が画像になっていると、質問項目は読み上げられても、回答が分からなかったりする。

視覚障害のある人がアンケートに答えるときにも、数字を塗りつぶすマークシート型の画面をそのままデジタル化したのでは使い勝手が悪い。1つずつアンケートの質問に答えていけばスムーズに次の設問に進めるようにするなど、アクセシビリティチームの皆さんとの意見交換時には、具体的な改善策も聞かせていただいた。デジタル庁設立以前から「視覚障害者の方、聴覚障害者の方向け資料」として、「大活字広報誌」「点字データ」「音声データ」も作成しているが、常にアクセシビリティを意識した情報発信が求められる。こうしたプロセスがデジ庁に限らず、あらゆる行政機関でも意識されるようになってほしい。

デジタル推進委員は有償であるべきか？

デジタル機器やサービスに不慣れな方にきめ細かなサポートを行うことはもちろん重要だ。浅川さんやデジ庁のアクセシビリティチームのメンバーのように、障害があってもプログラマーとしてデジタルを使いこなすプロはいる。アプリやソフトを使いこなしている人も大勢いるので、障害がある人にデジタルデバイド対策をしなければならない、と言い切れるものではないが、講習を実施するなどサービスの利用方法を伝える機会はあらゆる場面で増やしていかねばならないだろう。そこで、既に国、地方公共団体、各種団体などが行っている事業や取り組みと連携しながら、デジタル推進委員を幅広く国民運動として展開していくこととした。

「デジタル推進委員」アンバサダーに就任いただいたのは、浅川智恵子さん、若宮正子さん、牧壮さんの３人である（若宮さんの紹介は後述）。

牧さんは86歳のプログラマー兼ユーチューバー。「１００歳まであと15年もある！」と元気にシニアにＤＸを推進してくれている。私が大臣就任中、２万人を超えるデジタル推進委

「デジタル推進委員」アンバサダーに就任いただいた浅川智恵子さん（右から2人目）、若宮正子さん（3人目）、牧壮さん（4人目）。心強い応援団を得ることができた

員に就任いただいた。携帯電話ショップなどでこれまでも支援は進められてきたが、全ての市区町村に携帯ショップがあるわけではない。人口の93%はカバーされているが、人口の7%が住んでいる市区町村には携帯ショップがない。そして携帯ショップがない市区町村は、1741自治体のうち約46%に上る、ともされている。

携帯ショップのない場所でも、商工会や商店街、中小企業の青年部や、社会活動や奉仕活動を行っている団体は存在している。行政書士、税理士、土地家屋調査士、そして社会福祉協議会はある。こうした地域コミュニティの活性化を図る取り組みを行っている団体に協力してもらいながら、国民運動が進められている。

この活動がボランティア活動であることへの指摘もあった。専門家のスキルを活用するのに「無料でお手伝い」はそぐわないのではないか、といったものであった。もちろん、プログラミングの教室を開催する、というのであれば、教える側にも適正な技術とそれに伴った対価が必要になるだろう。しかし、デジタルに不慣れな方がスマホでやってみたいことの多くは、ある程度日常使いをしているスマホユーザーであれば教えることができる内容がほとんどなのではないだろうか。

推進委員に対して、手当ても出さずに、タダというのはいかがなものか、という論に対しては、私はずっと「みんなで、というイメージがなかなか伝わらないのかもしれない」と感じていた。「できない人は、対価を払って、できる人に教わる」ということだと、私はこの先、日本のデジタル社会は進んでいかないと思っているのだ。

私も実際に地元の社会福祉協議会が主催するスマホ教室に参加した。この教室の特徴は「何回参加してもよい」ということであり、「分かったつもりで家に帰って自分だけでやってみようとしたら、できなかった。すぐ忘れてしまうから、また来るつもり」と言っていたリピーター参加者もいた。「遠くに住んでいる子どもや孫に写真を送りたい」「地図の見方を知りたい」といった初歩から入って、「孫にお年玉をキャッシュレスで送りたい」「友

スマホ教室に行くと多くの場合、「スマホは持っているが、その機能をあまり使いこなせていない。でもいろいろやってみたい」という声が多いことに気づかされる

達に集合場所を伝えたい」といったステップにも進んでいく。

ご近所の「青空市場」で「スマホ相談コーナー作っているんです」とチラシを届けてくれた人にも話を聞いた。「音声入力ボタンってこれであってる？」「なんか変なボタン押しちゃったみたいで画面が戻らなくなっちゃったんだけど、ちょっと見てくれないかな」……こんな毎日の生活の中での躓き(つまず)であれば、ご近所のデジタルネイティブがお役に立てると思う、と彼らは話してくれた。「ちょっとした質問に答えてくれる人が身近にいてくれたらいいな」と思っている人と、「そんなに高いスキルはないけれど気軽に聞いてね」と思ってくれている人がつながるような、世代を超えた交流の場にもなってくれれば、とも思った。

一部の専門スキルを持った人による「事業」としてではなく、多くの人が地域を守りながら、できる人が困っている人をサポートする、声を掛け合う景色をつくれればと思ったのだ。デジタル人材の確保は急務である。一方で、日々の躓きや心配に対して、みんなで気軽にサポートできるようにしておけば、今後生活の中で新しくデジタル対応が求められる場面に遭っても、過剰な恐怖心も薄れるし、いざというときに強いコミュニティにもなっているはずだ。

ボランティアで国民運動を、という流れが作られた背景には、ある日本での成功体験がある。「インターネットの父」と呼ばれる慶應義塾大学の村井純教授が紹介するのは、「地デジ(地上デジタルテレビ放送)」への移行のエピソードだ。2011年7月24日までにアナログテレビ放送を終了することを決めた。1953年に日本でテレビ放送が開始されたときに比べ、2000年代に入ると電波の用途が増えたことから、2003年12月から地デジ放送を始めることになった。地デジが見られるようにテレビや受信機を買い替える必要に迫られたのがこの頃である。高画質、高音質のテレビを楽しめるようになるといったメリットがある一方、データ放送の説明をされても分からないと感じた高齢者も多かったはずだ。

当然政府としても総務省を中心に広報活動を行い、自治体にも協力してもらったが、村井教授は「コミュニティの力も大きかった」と言う。目指すのは「完全移行」だ。テレビが映らない家を一軒も出さない、誰一人取り残されない社会を目指そうとなったら、地域コミュニティも含めて協力体制を取る必要があった。いわゆる街の電器屋さんが相談に乗り、自治会の役員が話を聞き、一人暮らしの高齢者でも困らないようにコミュニティの力で完全移行を乗り切った成功体験がこの国にはある。だからこそ、デジタルシフトを進める今、デジタル推進委員のサポートを得ながらきめ細かく、コミュニティ単位でデジタルデバイド対策を取ることを目指したのである。

ここで改めて強調しておきたいのは、高齢者イコールデジタルが苦手とは限らない、ということだ。説得力を持って範を示してくれているのが、デジタル推進委員アンバサダーでもある若宮正子さんだ。

1935年生まれ、87歳の若宮さんは『老いてこそデジタルを。』を出版され、Appleのティム・クックCEOに「世界最高齢のアプリ開発者」と紹介されたスーパーアクティブシニアである。プログラミングを学び、シニア向けスマホアプリ「hinadan」を開発、リリースしたことで有名だ。エクセルアートでデザインした図柄を布地にプリントして、洋服まで製作、官邸やデジ庁での会議で自ら着用されている。さらには園遊会出席用にエクセルアートのドレスまで作られたのだ。自分の好奇心が「普通じゃ面白くない」と囁いたのだという。

デジタルのメリットに気づいていない人に「デジタルデビュー」してほしい、と講演会で全国、世界中を回り、パソコン3台にiPhoneとApple Watchを使いこなすITエヴァンジェリスト（伝道者）だ。60歳で大手銀行を退職しパソコンを使ううちに「世界が広がった。60歳にして翼を手に入れた！」と語っている。パソコンを幅広い世代に普及させるためにシニア向けのパソコン教室を開催。80歳を過ぎてからiPhone用ゲームアプリ開発をスタートさせている。「80歳でバンジージャンプをやってみたい、と言ったらドクターストップがかかるかもしれないが、プログラミングを学びたいという気持ちを止められる人はいない」と若宮さんは語っている。デジ庁での会議でも「『自分がデジタル社会にどのような貢献ができるか』という視点を一人ひとりが持てるようにしよう」と声をかけてくれている。「デジ庁任せではなく、みんなで進めよう、当事者の輪を広げていこう」と言ってくださる大応援団の一人だ。

〝ひきこもり〟がサイバーセキュリティの最前線へ

デジタル人材は日本であと230万人必要だと推計されている。小中学校、高校でプログラミングや「情報」の授業も導入され、子どもたちの将来就きたい職業にデジタル系の職種も加わるようになってきた。リスキリングなどを通じてデジタルスキルを磨く人も増えることが期待されているし、全く違う職種からデジタル系の職へと移動していく可能性もある。

2018年、「デバッグ」のプロフェッショナル集団がいる株式会社デジタルハーツを訪問した。ソフトウエアに潜む不具合をユーザー目線で検出する「デバッグ」を行っている。ゲームのバグ発見から面白さの確認まで、プロの目線で発売前にテストを行っている。日本人の几帳面さも相まって、海外のプロも驚くほどの確率で弱点を見つけ出す、という話を聞いた。

そんな彼らはもともとは、いわゆるひきこもりの状態で、なかなか外での仕事を見つけるのが難しかった人たちだ。ひきこもっている間に、ゲームに熱中していた人たちも少なくない。ゲームの経験値は高く、今は5人1組のチームで仕事をしているが、ひきこもりの状態から就職に至るまでの道筋は容易ではなかった。最初は面接会場まで来て引き返してしまった人もいる。1年経って再び面接に来て、最初は月に1回会社に来るようになり、月2、週1、週2とペースが上がって、毎日通勤できるようになった、そんな実話も聞いた。

創業者である宮澤栄一会長は「家族から泣きながら感謝を伝えられたこともある」と言う。彼らはハッカー集団にもなり得る技術を持っている人たちだ。「10の指で押しても見つからなかったバグを、まるで11本の指で操作しているかのような卓越性で見つける」人たちである。ブラックハッカーに落ちるのではなく、ホワイトとして課題解消に取り組む人材である。

大臣就任後、改めてデジタルハーツグループを訪問した。脆弱性検査や監視業務など業務の幅が広がり、サイバーセキュリティの分野で活躍する人々も増えていた。ものすごい集中力でサイバーセキュリティチェックを行っていく。その様子も特別に視察させてもらった（もちろん写真撮影などはできない）。

「ゲーマーの集中力が生かされている」と言うが、この仕事は「作業興奮」をもたらしてくれるのだそうだ。特殊なスキルが求められている現場で大事にしているのは、スキルの高さだけではなく、「正義」や「倫理観」なのだという。推察するに、ブラックハッカーになってしまったら相当手強い人たちだからこそ、「正義」「倫理観」が大事なのだろう。“Save the digital world”がキーフレーズにもなっている。

サイバーセキュリティの現場で犯罪行為を検知することもあるという。車座対話ではリアルな声を聞いた

さらに重視しているのは、チームワーク。元ひきこもり、ニートと言われる人たちはチームワークが苦手なのではないか、との意見も聞かれるが、対話を進める中で一人ひとりが持っている強い責任感にも触れることができた。ホワイトハッカーは仲間がいるから〝闇堕ち〟しないのだ。個人戦が標準である海外との違いもここにある。チーム制を取れば、1人が1年の間に手掛けられる案件を増やし、納期も早くなる、という効果もあるという。

また、車座対話ではNPO育て上げネットの取り組みも聞かせていただいた。サイバーブートキャンプのような研修手法には効果があるが、現時点では保護者の間で「サイバーセキュリティ」という仕事が広く認知されていないのではないか、という指摘もあった。

「ゲームが得意だけれど仕事がなかなか見つからない」という人たちの中に、むしろ何時間もゲームに集中し続けられるという能力が、キャリアにつながる可能性があるということを知ってほしい。そしてキャリアコンサルタントや職業訓練などのプロセスで「正義」や「倫理観」をもっと重視してもよいのではないか、という示唆も重く受け止めた。

一般的に企業での採用にあたっては「大きな声で挨拶」も大事な判断基準かもしれないが、「正義感」が後回しになってはいないか、という指摘だ。学歴は〝キラキラ〟でなくても、他の人には真似できないスキルとマインドを持っている人たちがこの国にはたくさんいる。これまでそうした場所に光が当てられてこなかったのかもしれない。デジタル社会はきっと、彼らの力無くして進めることはできないし、デジタル人材不足の日本で潜在力を見出し、生かし、伸ばす努力をもっとしていきたいと思う。

第7章

日本はどこまで行きますか？

マイナポータルをどう改善するか

デジタル先進国と評価されている国々との比較、電子政府の取り組み、日本ならではの特徴と紹介してきたが、それでは日本のデジタル化はどこまで行くのか。そこには、国民の思いが反映されるべきだろう。

これまで繰り返し述べてきたように、国は国民の一人ひとりがどこに誰と住んでいて、どういった仕事に就いていて、収入はいくらあるのかなど、全く把握していない。よく「データの一元化」と表現され、国によるデータの一元管理に恐れがあるか否かアンケートが取られることがあるが、そもそも、データを一元化して国が管理するというシステムにはなっていない。こうした日本において、私たちはデジタルの力を使って、どこまでが可能な世界を求めるのか、コンセンサスをとっていく必要がある。

シンプルに表現すれば「申請主義」から「プッシュ型」へと移行するかどうか、ということにも通じる。コロナ禍で指摘されたように、原則として住民が自ら申請することで給付を受け取るといった、申請主義の形が以前から標準化されている。これに対して、現時点で「プッシュ型に近い形で給付金の支給を行う」方法として確立しているのは「特定公的給付」という仕組みである。

特定公的給付に指定されると、支給要件の該当性の判定に必要な、情報その他の当該支給を実施するための基礎とする情報について、マイナンバーにより管理することができるようになる。そうすると、給付の申請受付、審査、支給などの事務において、申請者と給付対象者の照合作業が効率化される。そして、支給の迅速かつ確実な実施が可能になる。

これまで、令和2年度・4年度子育て世帯生活支援特別給付金、新型コロナウイルス感染症生活困窮者自立支援金、令和3年度住民税非課税世帯等臨時特別給付金、電力・ガス・食料品等価格高騰緊急支援給付金などが特定公的給付に指定されてきた。子育て世帯向け、住民非課税世帯向けなど給付が行われる対象者が限定される場合、その作業は効率的に行われることが給付を受ける人たちのメリットになる。よって、都道府県または市町村が独自に給付する場合であっても、特定公的給付に指定することが可能になっている。

現時点では「プッシュ型に近い形」で市区町村が対象者を明確にすることができているが、完全なるプッシュ型へ移行しようとすれば、特段のお知らせや確認を経ずとも、全ての給付対象者にあらかじめ登録されている公金受取口座へ自動的に入金する、ということになるだろう。そのためには全ての住民に公金受取口座の登録をしておいてもらう必要がある。

緊急時の給付金は、コロナのような感染症発生時での給付支援には限らない。国民生活、国民経済に甚大な影響を及ぼす恐れがある災害時にも行われる可能性があるし、経済事情の急激な変動による影響を緩和するために支給される可能性もある。「私が何の給付の対象者なのか、分からない」「役所の方で把握している情報に基づいて給付対象者になっているならば、入金をしておいてほしい」「申請書を書くのはそもそも面倒だ」「最新のデータに基づいて判断してもらえればよい」という声もあるだろう。

私の周りでは、転職に伴って年金が変わったときの手続きや、年末調整に確定申告、とにかく忙しいときに慣れない事務作業が多く、必要な情報を全部見てくれていいから、しかるべく対応をしておいてほしい、という人もいる。それを実現しようとすれば、あらゆる支給事務にマイナンバーを利用することを検討する必要がある。

一方で、支給事務に伴い自分の置かれている状況を把握されることに抵抗感を持っている人がいるのも事実だろう。どのような給付を、よりきめ細かく、迅速に実施できるか、ユースケースを含めた検討が重要だと考えている。国民の皆さんにも自分ゴトとして、どこまでの便利さを求めるのか考えてみてほしい。同時に、給付や申請を含めたあらゆる公的手続きについて、もっと分かりやすくストレスのない世界を目指すべきだと思っている。

行政サービスは迷わず目的にたどり着ける設計になっているだろうか。民間と公共サービスで使い勝手に差はないだろうか。例えば、普段の生活の中で「ホテルの予約」をしようとすれば、お手頃価格の提示から他の選択肢の候補まで提示してくれて、日にちや、部屋のサイズや、朝食付きかどうかなど聞かれることに答えていけば、予約まで迷わずスムーズにたどり着ける。もっと言えば、車のナビであったら、自宅を登録しておけば毎回情報を入れなくても家にたどり着ける。こうした民間サービスのストレスのない体験を行政でも当たり前にしたい、という思いがあった。

そもそも専門用語が多すぎる。「控除制度」という言葉を知っていて検索できれば情報に無事にたどり着けるが、知らないと要件に当てはまっているのに貴重な情報を入手し損ねるようでは問題だ。

専門の名詞を知っているかどうかにかかわらず、情報にたどり着けるようにするには、シンプルな動詞に置き換える、という方法がある。「合計金額から差し引く」とか「安くなる」とか「手当を受ける」とか代替表現はあるはずだ。こうした代替表現でも必要なサポートを得ることができる設計にしたい。

さらに気をつけるべきなのは、新しい略語を量産しないことだと思う。HER－SYSは「Health Center Real－time Information－sharing System on COVID－19」の略で「新型コロナウイルス感染者等情報把握・管理支援システム」のことだが、「HER－SYSの読み方が分からない」という方もいるだろう。読みは「ハーシス」。「『V-SYS(Vaccination System)ワクチン接種円滑化システム』とどう違うんだっけ」と思っている人もいるかもしれない。さらに「VRS(Vaccination Record System)ワクチン接種記録システム」もあるので、混同してしまいかねない。

実はデジタル庁が「新型コロナワクチン接種証明書アプリ」をリリースするときにも、様々な名前の候補があったようだ。仮に「VRSA」という名前がついていたら「『ブルサ』って何? めちゃくちゃ読みにくいんだけど」と言われていたかもしれない。そこを「シンプルにそのまま分かりやすく表現すべきだ」と主張したのが、当時デジタル庁のCDO(Chief Design Officer)だった浅沼尚・現デジタル監だ。「接種証明書アプリ」と略されることはあっても、十分意味は伝わる。多くの日本人に馴染(なじ)みの薄い、無理やり作ったアルファベット略語ではなく、シンプルに意味の通じやすい名前をつける。このことを心がけるだけでも、公共サービスはグッと身近なものになるのではないだろうか。

この発想の延長線上で浅沼デジタル監が進めてきたのが「マイナポータル」の改善である。「使いたいと思える『優しい』サービスづくり」、利用者が「ストレスなく使いやすいと思える」サービスをつくることを目指している。現状、国から個々人のニーズに合った

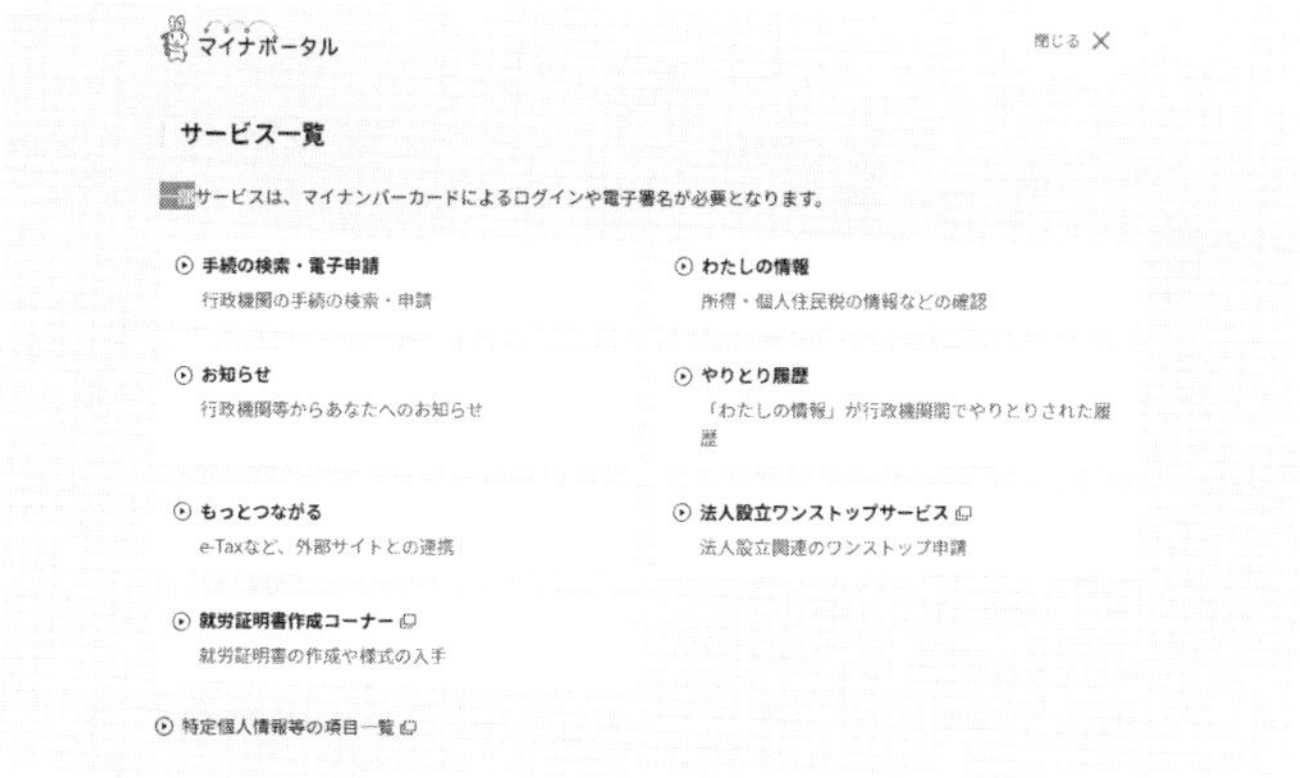

マイナポータル　閉じる ×

サービス一覧

サービスは、マイナンバーカードによるログインや電子署名が必要となります。

手続の検索・電子申請
行政機関の手続の検索・申請

わたしの情報
所得・個人住民税の情報などの確認

お知らせ
行政機関等からあなたへのお知らせ

やりとり履歴
「わたしの情報」が行政機関間でやりとりされた履歴

もっとつながる
e-Taxなど、外部サイトとの連携

法人設立ワンストップサービス
法人設立関連のワンストップ申請

就労証明書作成コーナー
就労証明書の作成や様式の入手

特定個人情報等の項目一覧

マイナポータルのサービス一覧。ここを入り口として行政手続きをスマホで完結する世界を目指している

公共サービスを提供しようとすると、「マイナポータル」を活用する方法が一番合理的だからとも言える。マイナンバーカードでマイナポータルへログインすれば、30種類以上の申請手続きや、各種情報を確認することができる（2022年8月時点）。

マイナポータル自体の認知度は40％程度。「マイナンバーカードは持っているがマイナポータルは使ったことがない」状態が続いてきた。マイナンバーカードは最高位の公的個人認証ではあるが、対面で本人確認に提示するだけでは本来の力を発揮しているとは言えない。マイナポータルがもっと知られていて、もっと使い勝手が良いものであれば、必然的にマイナンバーカードをオンラインでの本人確認のために使い、ポータル上で様々な確認

や申請をするケースが増えていたはずだからだ。しかし、正直なところ、ワクチン接種証明書アプリに比べてアプリ評価は低く、便利な機能があっても使われていないサービスになってしまっていた。

マイナポータルのUI改善も行われてきた。大幅な機能追加もしてきた。しかし、ユーザーが国民の4割にとどまっており、評価も低く、「マイナポータルを利用したいから、マイナンバーカードを作りたい」との声につながっていなかった。つまり、マイナポータル自体に改善が必要と判断せざるを得ない状況だったのである。

こうした状況を打開するために、ちょうど1年目を迎えるデジ庁で発表したのが、マイナポータルの新たな改善イメージだった。「みつける」「しらべる」「わすれない」をサポートするサービスの提供だ。子育て世代にとっては、保育園を探すところから、空きを見つけ、書類を整えて申請し、入園手続きをするところまで全てをデジタル完結で済ませたい。簡単に「みつける」はその前提になるものだ。そして、医療費、薬剤情報、税情報などを簡単に確認できる「しらべる」サービスのニーズも高い。年金記録の確認もできるし、将来の年金見込み額も見ることができる。

そして私が重視しているのが「わすれない」の機能だ。パスポートの切り替え申請、保育園の入園申し込みなど、タイミングを逃すと大変なことになる「やるべきこと」がたくさ

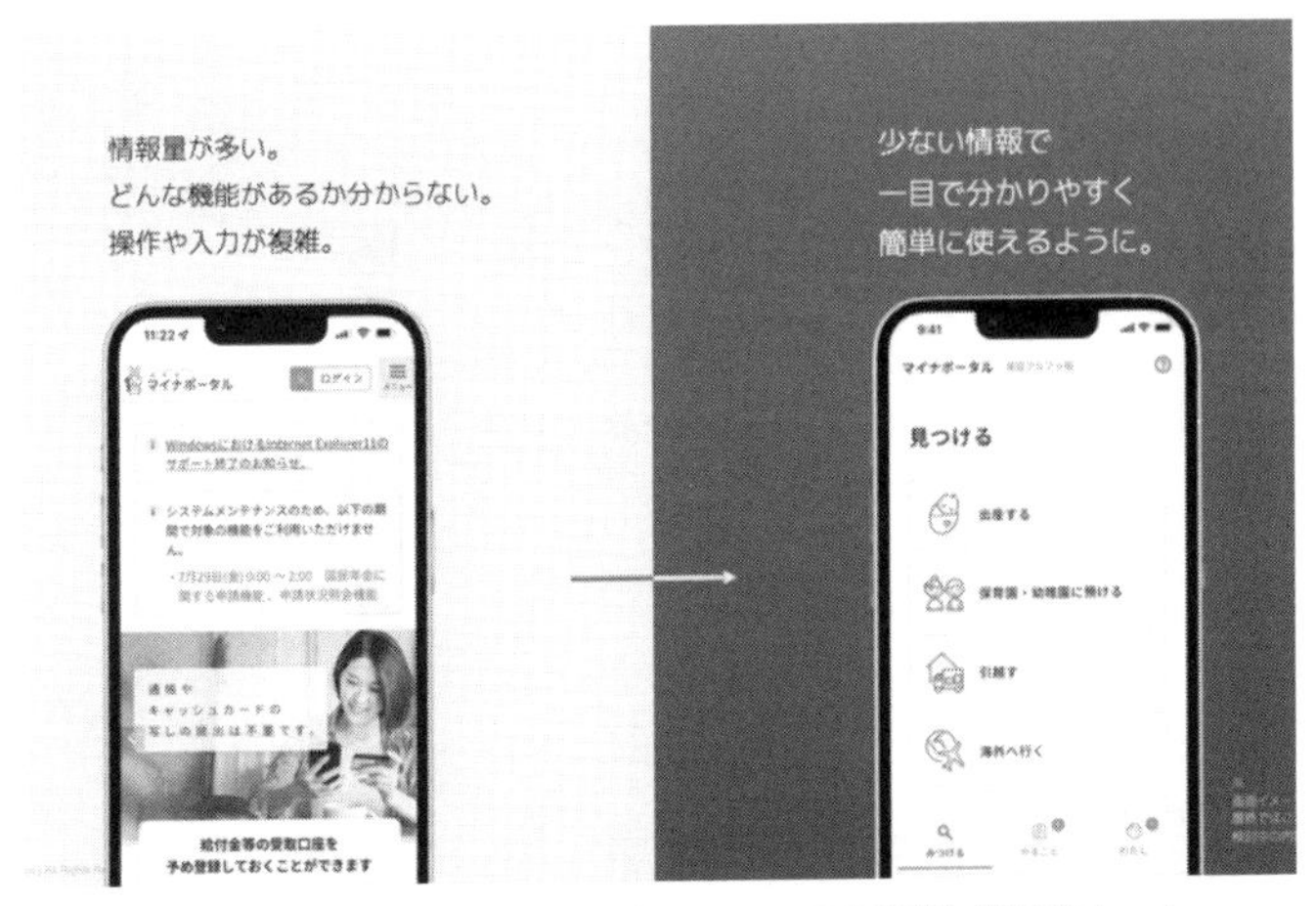

デジタル庁ではマイナポータルのインターフェースの改善に取り掛かった

「みつける」「しらべる」「わすれない」をサポートするマイナポータルへ

んある。「カレンダーに書いたつもりが忘れていた！」といった事態を避けるために、「私」をサポートしてくれる「私」のためのポータル「マイナポータル」として認知され、活用されていくことを願っている。

【医療ＤＸ】より良質な医療やケアを受けられるように

デジ庁は公共分野のみならず、準公共分野にもコミットすることを最初から宣言している。デジタルを意識しなければ抜本的なサービス改善は難しいと思われるもの、公共に準じて私たちの暮らしに大きな影響を与えると思われるもの、にデジ庁は関わっていく。大きな責任が伴うが、データ戦略とも関わる部分でもあり、デジ庁抜きで進めることも難しい。デジ庁が取り組んでいる準公共の範囲とはつまり、医療・介護・健康、教育・子ども、防災・災害対応など。それぞれまだ完成形ではないが、ここまで積み上げてきた議論や将来見通しを紹介したい。

２０２２年６月７日に閣議決定された「経済財政運営と改革の基本方針２０２２」には以下の記述がある。

『オンライン資格確認について、保険医療機関・薬局に、２０２３年４月から導入を原則として義務付けるとともに、導入が進み、患者によるマイナンバーカードの保険証利用が進むよう、関連する支援等の措置を見直す。2024年度中を目途に保険者による保険証発行の選択制の導入を目指し、さらにオンライン資格確認の導入状況等を踏まえ、保険証の原則廃止を目指す。「全国医療情報プラットフォームの創設」、「電子カルテ情報の標準化等」及び「診療報酬改定DX」の取組を行政と関係業界が一丸となって進めるとともに、医療情報の利活用について法制上の措置等を講ずる。そのため、政府に総理を本部長として関係閣僚により構成される「医療DX推進本部（仮称）」を設置する。』

「マイナ保険証普及」については「唐突だ」との指摘もあったが、令和3年12月24日に閣議決定された「デジタル社会の形成に関する重点計画・情報システム整備計画・官民データ活用推進基本計画について」（いわゆる重点計画）でも、既に「マイナンバーカードの健康保険証としての利用の推進」の工程表は記されており、令和3年度中に「医療機関等の9割程度での導入を目指す」、令和4年度中に「おおむね全ての医療機関等での導入を目指す」と記述している。このようにデジ庁は各省庁との協議を経て計画表を作り、公開しているのだ。だから、「9割程度の導入」目標が達成されていないとなれば、その理由を明確にし（半導体不足の影響もあった）、次の手立てを打つことになる。そして2022年6月には「保険証の原則廃止」も閣議決定文書に記されたのである。

この方針に基づき、同年8月10日の中央社会保険医療協議会（中医協）において答申・公表となった。医療機関・薬局にオンライン資格確認の導入を原則義務化すること、診療報酬上の加算の取扱いを見直すことが示された。ここで、マイナ保険証利用時には、利用しない場合よりも、患者負担が小さくなる仕組みとなった。ちなみに、現在「紙レセプト」での請求が認められている医療機関・薬局は、オンライン資格確認の導入の「義務化例外」とされた。その理由は、電子請求の義務化時点で65歳以上（75歳以上程度の医師など）が全体の4％にあたる医療機関などでは、院内などの電子化が進んでおらず、「手書き請求」をしているからである。

いずれにしても、ほぼ全ての医療機関・薬局で、顔認証付きカードリーダーが行き渡るようになり、特定健診情報、薬剤の種類・用量・投薬期間などの確認ができることで診療のさらなる質の向上が実現する。実際にドクターとも話をしたが、「何の薬を服用しているかで、例えば手術のタイミングをずらす、と判断することもあるだろうし、特定健診の結果を見て他の診療科を勧めることもあるだろう」、ということだった。薬局でも特定健診の検査値を踏まえた処方内容の確認、服薬指導が可能になるし、重複投薬や相互作用の確認も可能になる。マイナ保険証の普及が医療DXの最終形では当然ないが、既に医療の質を上げるステップを進み始めている。

そして、電子カルテ情報を閲覧できるようになることも視野に準備が進められている。自民党が令和4年5月17日に提言した「医療DX令和ビジョン２０３０」で示されている通り、電子カルテ普及率を２０２６年までに80％、２０３０年までに１００％にしようとしている。

２０１７年の数字によれば、電子カルテ普及率は一般病院で46・7％、診療所で41・6％にすぎなかった。しかも院内での利用にとどまっている。さらに、電子カルテそのものも、共有すべき項目の標準コードや交換手順を策定しなければならない段階なのである。電子カルテが標準化され、普及し、カルテで保有するデータを治療の最適化に結びつけていく、一つひとつのステップを進めているところだ。

既に令和4年9月11日からは「レセプトから抽出した診療情報の共有」は始まっている。支払い基金・国保中央会でレセプトから抽出した診療情報を加入者と1対1で管理し、医療機関・薬局との共有、本人がマイナポータルでも閲覧できるサービスが開始した。本人同意に基づいて「医療機関名」「診療年月日」「医学管理料」「処置のうち人工腎臓、持続緩徐式血液濾過、腹膜灌流」「手術（移植・輸血含む）」「放射線治療（実施項目）」「画像診断（実施項目）」「病理診断（実施項目）」など診療情報を医師、薬剤師が閲覧できる。手術情報の医療機関・薬局への連携は令和5年5月頃開始予定である。こうした診療情報の共有による効果として考えられるのは以下のようなものである。
（1）災害時に、別の医療機関で患者の情報を確認し、必要な治療を継続できる。
（2）医療機関に救急搬送された患者の治療の際、手術や薬剤情報等を確認することで、より適切で迅速な検査、診断、治療等を実施できる。
（3）複数医療機関を受診する患者について、情報を集約して把握できる。患者の総合的な把握が求められる、かかりつけ医の診療にも資する。
（4）問診・治療経過の確認の負担軽減や、正確な把握につなげることができる。

当たり前の話ではあるが、その人の医療データは誰のものかと言えば、患者本人のものである。かかりつけ医のものでも病院のものでもないはずだ。本来、患者本人がそのデータを確認し、見せたい人に提示し、自らのデータをもとに、自らの健康状態に役立てるべきものなのだ。それは災害時や緊急時といった場合にはなおさら必要性は高まるだろう。

マイナンバーカードを活用した救急業務の迅速化・円滑化に向けた実証実験も始まっている。救急現場において、救急隊が搬送先医療機関の選定を行う際に、傷病者のマイナンバーカードを活用して搬送先医療機関の選定に資する情報を入手し、救急業務の迅速化や円滑化を図ろうとするものだ。本人同意のもとマイナンバーカードからこれまでの診療情報などを読み取ることで、症状がつらく、うまく病院や病気について説明できない場合の助けになる。どの病院に急行すればよいかの判断にも使われ、搬送先病院での治療の準備にも役立てられるはずだ。国内6消防本部で進められた実証実験の結果を踏まえて、次のフェーズに入っていくものと思う。

このように着実に医療DXは前進しているが、医療DXの方向性の骨格を改めてまとめると以下の3つになる。

（1）「全国医療情報プラットフォーム」
オンライン資格確認等システムのネットワークを拡充し、レセプト特定健診等情報に加え、予防接種、電子処方箋情報、自治体検診情報、電子カルテ等の医療（介護を含む）全般にわたる情報について共有・交換できる全国的なプラットフォームの創設。

（2）「電子カルテ情報の標準化」
医療情報の共有や交換を行うに当たり、情報の質の担保や利便性・正確性の向上の観点から、その形式等を統一。その他、標準型カルテの検討や、電子カルテデータを、治療の最適化やAI等の新しい医療技術の開発、創薬のために有効活用することが含まれる。令和4年3月に3文書6情報（3文書：診療情報提供書、退院時サマリー、健診結果報告書。

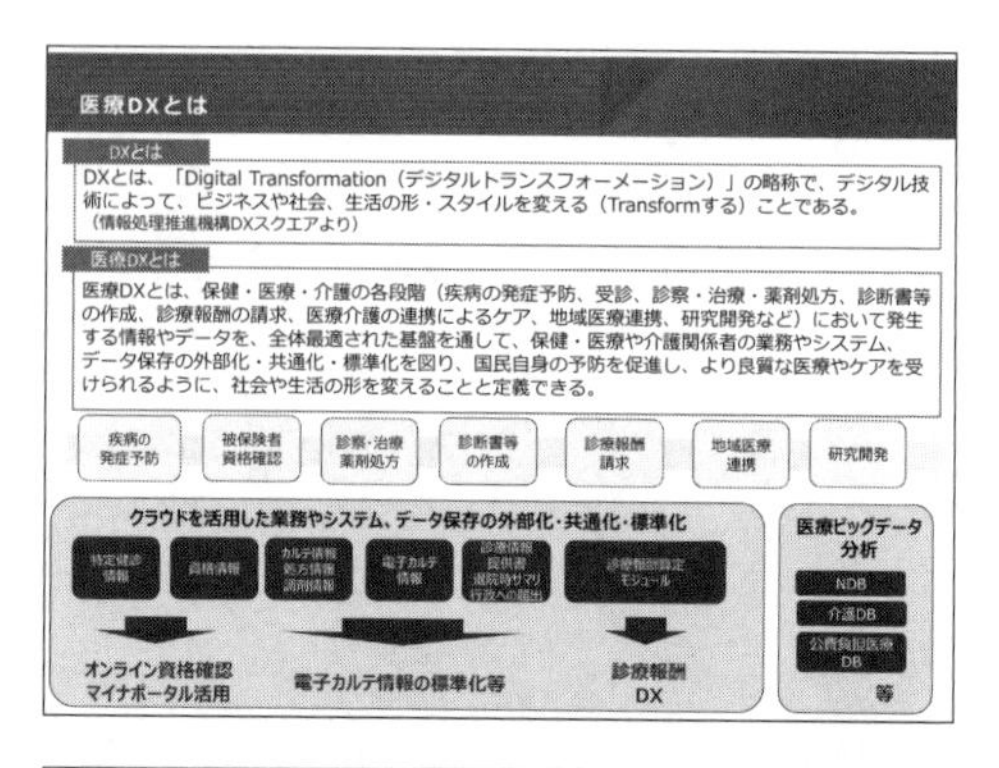

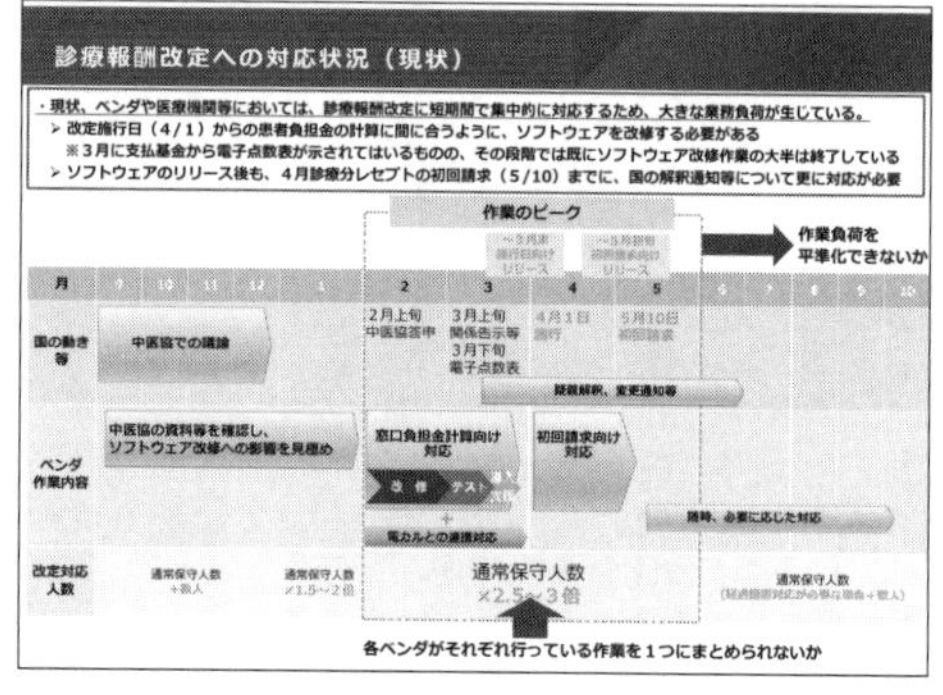

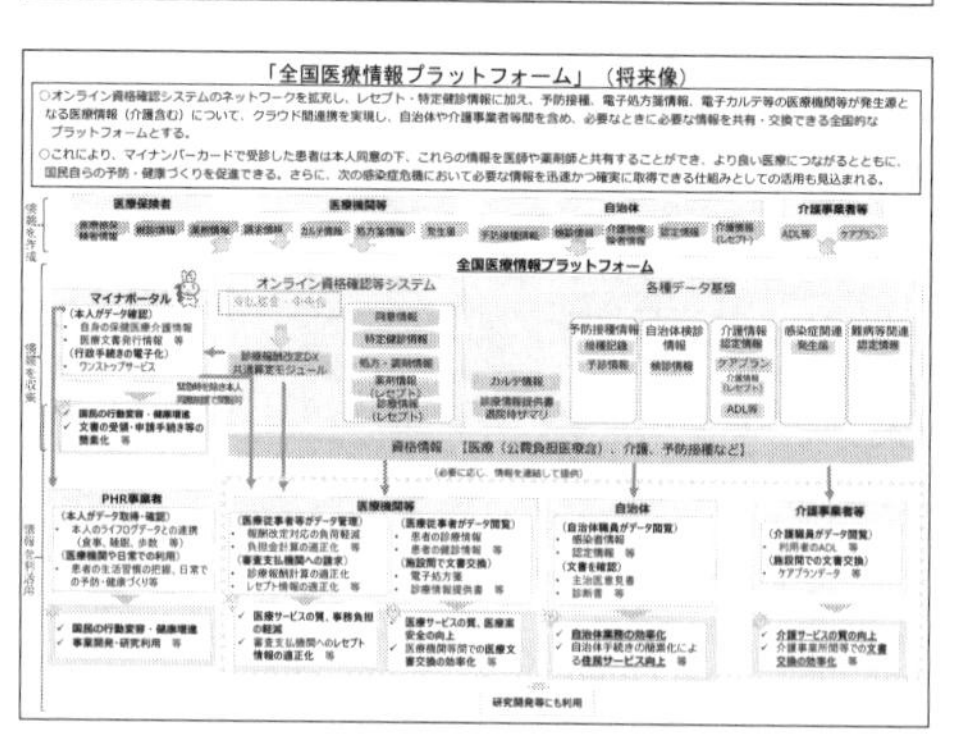

第1回「医療DX令和ビジョン2030」厚生労働省推進チーム資料。「全国医療情報プラットフォーム」「電子カルテ情報の標準化」「診療報酬改定DX」が骨格となる

6情報：疾病名、アレルギー情報、感染症情報、薬剤忌避情報、検査情報〈救急時に有用な検査、生活習慣病関連の検査〉、処方情報）を厚労省標準規格として採択。今後、医療現場での有用性を考慮しつつ、範囲の拡張を推進。標準型電子カルテの開発については、令和4年度は関係者へのヒアリングを実施しつつ、令和5年度の調査研究事業を実施する予定。

（3）「診療報酬改定DX」

デジタル人材の有効活用やシステム費用の低減等の観点から、デジタル技術を利活用して、診療報酬やその改定に関する作業を大幅に効率化。これにより、医療保険制度全体の運営コスト削減につなげることを目指す。

このように、医療・介護・健康分野のDXはまだ完成形にはなっていないが、医療DX推進本部も立ち上がり、議論すべき論点も含めて整理されている段階にある。厚労省のみならずデジタル庁も、当然医療関係者はじめ現場とも連携しながら着実に歩みを進められるようにしたい。

【教育DX】デジタルツールは「文房具」であるべき

デジタル庁では、デジタル社会の実現に向けた政策やデジタルサービスの改善などについて、幅広い国民の皆様からご意見やアイデアを募集し、オープンに共有・議論するコミュニティプラットフォームとして「アイデアボックス」という取り組みを行ったところ、子どもたちからもたくさんの意見が届いた。

「授業でもっとタブレットを使いたい」「家にも持ち帰りたい」「お友達の学校ではタブレットをもっと使っているみたいだけど、なんで学校によって違うの?」……教育行政の根っこの部分に刺さる疑問が子どもたちからは寄せられる。文部科学省では、急速な学校ICT(情報通信技術)化を進める自治体などを支援するため、学校におけるICT環境整備の設計や使用マニュアル(ルール)の作成などを行うGIGAスクールサポーター(ICT技術者の学校への配置経費を支援)を進めてきた。

コロナ禍で学校の臨時休業があっても、ICTの活用により全ての子どもたちの学びを保障できる環境を早急に実現することを目的として、予算が組まれたものである。さらに文科省は、コロナ禍での在籍型出向・人事交流・兼業副業等による学校の企業人材の受け入れ支援もスタートさせた。「学校雇用シェアリンク」というものだ。

「民間企業の人の経験やスキルを学校の良い刺激にしたい」と考える学校や教育委員会が登録し、GIGAスクールサポーターやICT支援員として教育のICTを活用した授業や事

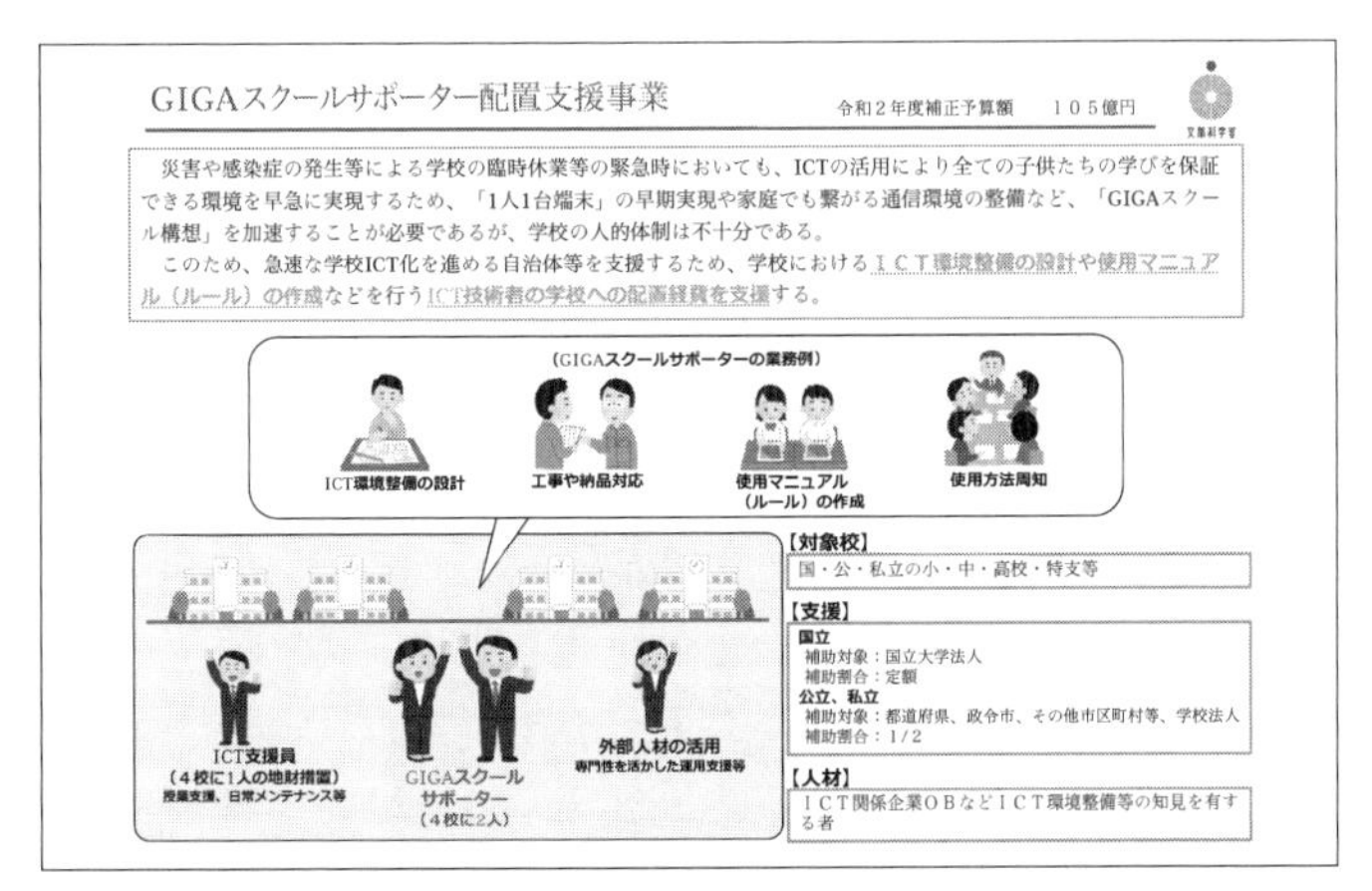

GIGAスクール構想の加速に向け、外部人材の受け入れも考える必要がある

務作業の支援を行える人とマッチングができる仕組みである。実際、オンライン授業に対応できた先生とかなり苦労された先生が存在したことも事実だろう。自前で何とかしようとしても限界がある。文科省が具体的にマッチングするわけではなく、プラットフォームとして機能させるものだ。

デジ庁でも「ＩＣＴに専門的な知識・経験があり、学校現場に貢献したい」という人々に向けて、この制度を紹介している。教育委員会や学校によってどの程度活用されてきたのか、課題はあると受け止めてはいる。私の周りでも子育て世代のデジタル人材から「子どもの学校のＩＣＴ環境の手伝いをしたいと思っている」という声は多く聞くものの、では一個人がどうアクションに移すのか、と考えると確かにハードルは高い。

民間の専門人材を学校の現場に呼び入れる、というのは比較的新しい取り組みであり、慎重になってしまう現場の思いも理解できないこともない。機器のセットアップなども教員自らがやらなければならない、との思いで踏ん張ってきたのだろう。ただ学校が社会について、未来について子どもに教えることも目的としているのだとしたら、社会で働く大人も地域もますます学校に関わっていくことになると考えている。

どの町に生まれた子どもも等しく同程度のデジタル環境の下で学びを進めてもらいたい、と願っているが、正直地域差があるのは否めない。私が視察した埼玉県戸田市では「デジタルツールは文房具」となっている。既に教員の役割は「ティーチャー」から「ファシリテーター」となっているとの説明も受けた。「自分で考え共働しながら解決できる人材を育成する」という戸ヶ崎勤教育長の考えが現場に浸透しているのも伝わってきた。未来を見据えて3Dプリンターを使った授業を行ったり、オンラインで学外とつないだり、と意欲的な授業の様子も見せていただいた。

もちろん、デジタルの得意分野である「個別最適化」の学びも進んでいる。目的は「変化する社会の動きを教室の中に取り入れること」と明確である。「タブレットを活用すること」がゴールではないのだ。宿題の提出もタブレットなので毎日持ち帰ることになる。

「タブレットと教科書を両方持って帰ることでランドセルが重くなる問題」も聞いてみた。「ランドセルの中にはタブレットと水筒だけです」と明確な答えが返ってきた。戸ヶ崎イズムとも言える「社会の動きを教室へ」の哲学が全ての学校長に伝わり、一人ひとりの教員に共有されている。そこまで徹底的に伝達する熱があってこそ全ての学校で同じルールが適用される。授業を視察したときにも、他の学校とオンライン会議システムでつないで、双方の生徒たちが意見を述べ合う場面も見られた。

子どもたちが社会を生き抜く力を育み、可能性を広げる場所である学校では、ICTを使う環境を整備することは大前提として、「1人1台タブレット配りました」が最終目標ではないことは明白だ。実現すべきは「いつでも、どこからでも、自分らしく学ぶことができる教育分野のデジタル化」であり、誰もが自分らしく学べる教育を実現しようとすれば、教育データの標準化や利活用の推進も必要になる。

そこで、教育のデジタル化のミッションを「誰もが、いつでもどこからでも、誰とでも、自分らしく学べる社会」と掲げ、そのためのデータの（1）スコープ（範囲）、（2）品質、（3）組み合わせ、の拡大・充実という「3つの軸」を設定し、これらを実現するために、教育データの流通・蓄積の全体設計（アーキテクチャー〈イメージ〉）を提示した。

その上で「ルール」「利活用環境」「連携基盤（ツール）」「データ標準」「インフラ」といったそれぞれの構造に関する論点や、必要な措置について整理した。意見募集も実施し、有識者との意見交換も踏まえて、関係省庁とともにロードマップを取りまとめた。国会でもたびたび質問されたが、「国が個人の教育データを一元的に管理することは考えていない」ことも強調しておきたい。学校や自治体、民間事業者といった関係者ごとに分散管理を基本とし、利活用関係者の中に国は含まれていない。大事なのは「個別最適化」の教育の実現、つまり一人ひとりの個性が光る教育の実現である。

授業の内容をクラス全員が同じ速度で理解し、授業についていけるとは限らないし、生徒ごとに躓（つまず）くポイントは異なるのが自然である。個々の学習ログを蓄積し、それぞれに応じた学習を提示することが可能になるのである。

主語は子どもであり、子どもにとって自分に適した教材や学習方法を選べること、教員にとっては課題のある児童生徒を早期発見し、受け持つ児童生徒に適した教材が見つかることが期待されている。

現状多くの教室では履修主義で学年が上がっていく。仮に1桁掛ける1桁の掛け算が苦手でも、教科書のページはめくられていき、2桁掛ける2桁、3桁掛ける3桁に進んでいく。「もう少し1桁掛ける1桁に時間をかけてほしい」という子どもがいても、教科書の最後のページまで終わらせて年度末を迎えねばならないと思えば、置いてきぼりになる子どもが出てしまう。

とりあえず履修したことで学年は上がっても、次の学年の算数についていくのはますます難しくなる。それは習得主義で教科書が進んでいないからだ。1つずつ単元が習得されたかを個々の生徒について確認できれば、苦手を克服しながら学習が進んでいくことになる。

転校時も、データが引き継がれなかったり、引き継ぎがあったとしても紙に記載された情報に限定されてしまうのが現状だ。転校したばかりでも先生が生徒の強み、弱みを理解してくれることが望まれるだろう。

保護者にとっても、子どもの興味関心が分かること、認知能力のみならず、粘り強さなど非認知能力の育ちに気づくことも大事なことだ。さらに生涯学習の観点から言えば、スタディ・ログが保存されることで、リカレント教育やリスキリングにつながる可能性もある。

当然、悪意あるデータ利活用が行われないようにすることは重要だ。ロードマップには、「教育データを利活用して、児童生徒個々人のふるい分けを行ったり、信条や価値観等のうち本人が外部に表出することを望まない内面の部分を可視化することがないようにする」ことも明記している。

教育関係者と議論を行う場面も少なからずあるが、「パワーポイントなどを使って、箇条書きで要点をまとめることは得意だが、それっぽいばかりで、そこに至る経緯や背景を丁寧に説明する能力が低くなっている」との指摘もある。「反射神経は高く、すぐに答えを出そうとするが、深く読み込む力が弱まっている」と心配する教育関係者もいる。「デジタル化を進めると考える力が落ちる」と指摘する人もいるが、そうさせない工夫が必須なのであり、ロードマップ策定にあたり、文章の意味を正確に理解する「読解力」や、自分の頭で考えて「表現する力」、対話や協働を通じて知識やアイデアを共有し「新しい解や納得解を生み出す力」に力点を置き、デジ庁はじめ関係省庁は議論してきた。

２０２５年頃には、現在の課題である「学校や自治体間のデータ同士の結びつきなし」の状態が解消され、「データの標準化によりEBPMの推進や新たな教授法・学習法の創出」という姿に移行することが目標とされている。そして長期的（２０３０年頃）には「学校で」「教員が」「同時に」「同一学年の児童生徒に」「同じ速度で」「同じ内容を」教えるという形が変化する可能性がある。「誰もが」「いつでも」「どこからでも」「誰とでも」「自分らしく」学べる、という学習者起点の学びになるだろう。真に「個別最適な学び」と「協働的な学び」が実現できるかどうか、工程表の進捗にも注目してもらいたい。

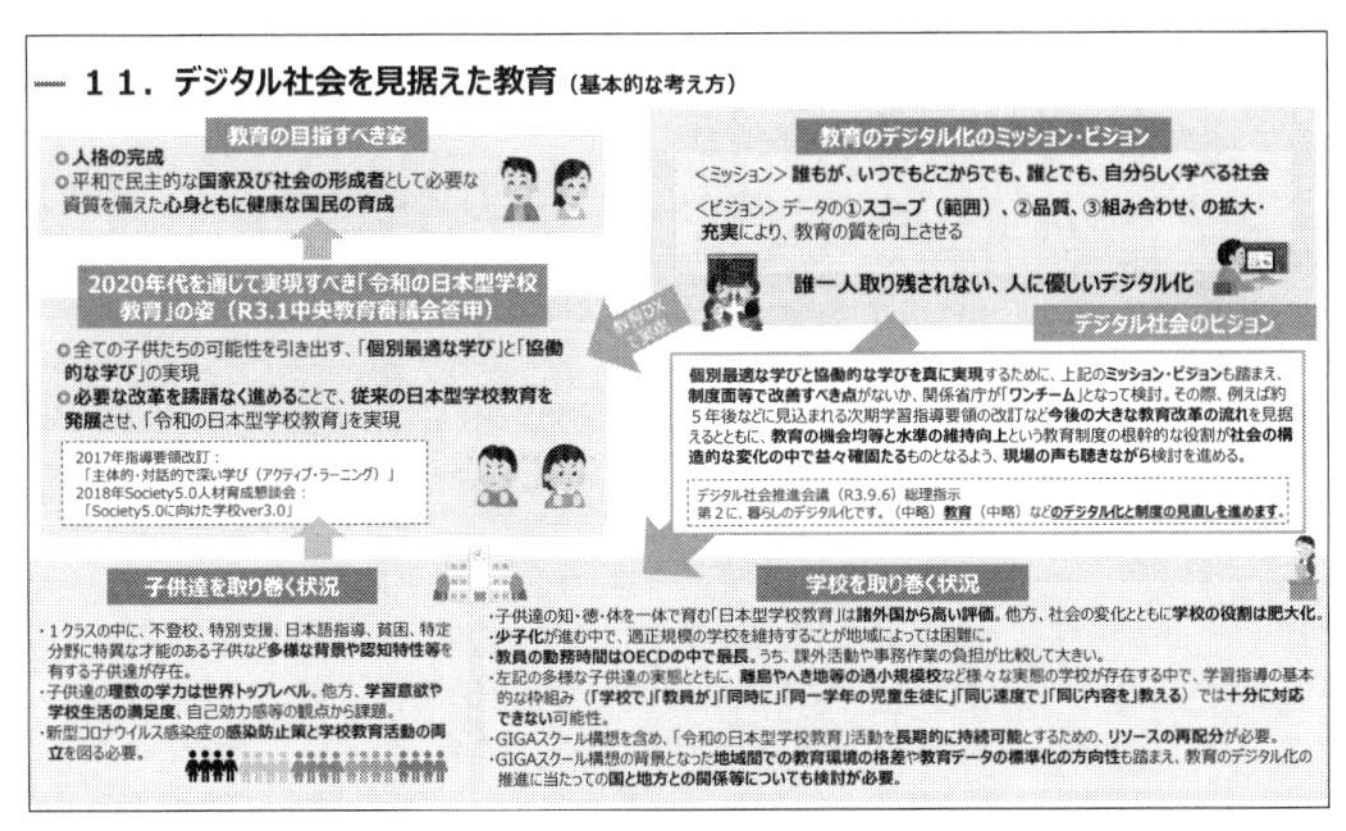

教育データ利活用ロードマップ（2022年1月7日デジタル庁、総務省、文部科学省、経済産業省）

さらにデジ庁では「教育」だけではなく「子ども」分野の施策にも取り組んでいる。貧困や虐待をはじめとした困難な状況にある子ども・家庭については、実態が見えにくく捉えづらいことから支援が行き届いていない、または支援が行き届きにくいとの指摘がある。必要な支援が必要な子ども・家庭に行き渡るためには、能動的な「プッシュ型（アウトリーチ型）」「ワンストップ」の支援を実現することが必要だ。

このため、市町村や支援機関等が保健福祉や教育等の取り組みの過程で得られた、個々の子どもに関する情報・データを、個人情報等の適正な取扱いを確保しながら活用して、こうした子ども・家庭を把握するとともに、能動的な「プッシュ型（アウトリーチ型）」「ワンストップ」の支援が実現されるよう、情報・データの連携の在り方などについて検討してきた。

なお、ここでも強調しておくが、国が一元的に子どもの情報を管理するデータベースを構築することは考えていない。一方、子どもに関する悲しい事件が起きるたびに、周りが気づいて適正な介入をすべきだったことを痛感する。原因は複合的なことが多い。誰かが感じた異変を、しっかりアクションにつなげるには、子どもを守る立場にある人たちによるデータ連携は不可欠だと考えている。

自治体単位では、潜在的に支援が必要な子どもを見つけ出す施策に既に取り組んできた先行地域もあることから、「こどもに関する各種データの連携による支援実証事業(地方公共団体におけるデータ連携の実証に係る調査研究)」を公募し、研究を進めている。例えば生活困窮の可能性のある子どもは生活保護や児童扶養手当等の情報で分かるが、これは自治体でも福祉の部門が持っている情報である。学校や教育部門と日常的にデータ連携しているとは限らない。よって、教育(学齢簿、出欠、学校健診等の情報)、保育(認定こども園・保育所の情報)、福祉(母子健康、児童扶養手当、生活保護の情報等)、医療(日常診療、新生児医療等の情報)等の必要な情報を選択し、データ連携することで、子どもの見守り機能を上げよう、とするものだ。

担任の先生であれば「毎日同じ洋服を着ている」とか「家で十分に食事をしていないようだ」とか「欠席が続いている」とか異変に気づくだろう。家庭に事情があるのかもしれない、という推察も働く。その時点では推察にすぎないが、データを補完できれば、支援が必要な家庭を早く見つけ出し、家庭も子どもも支援につなげることができる。

先行自治体のヒアリングによれば、支援の申請の方法が分からずに困っていた家庭を、データによって見つけ出すことができたそうだ。そこには教員でも見つけるのが難しかった世帯も含まれていたという。毎日の観察でも見落としがちな、ちょっとした変化をデータとして拾うことができれば、要見守り対象候補となる児童生徒を特定して、子どものSOSを早期にキャッチできるようになるだろう。

もちろんデータ連携として有用性の高いデータ項目について精査することが必要であるし、個人情報等の適正な取り扱いを確保しなければならないことは言うまでもない。個人のプライバシーを保護しつつ、利用目的に沿った必要な範囲内でのデータ連携の運用について、子どもを起点に関係省庁との協議が続いている。

【防災DX】デジタルの力で被災者を守る

電子政府化が進んできた国としてエストニアを紹介したが、日本で紛争に巻き込まれる蓋然性は実感しづらくても、災害に見舞われる可能性は暮らしの中で感じる場面は多いはずだ。日本にとって身近に感じる有事である災害発生時にデジタルがどのように役に立てるのか、デジタルは防災・減災対策にも資するのかは大きな関心事項であろう。私自身、熊本地震発災時には、短期間ではあるが内閣府の防災担当大臣政務官として政府現地対策本部長も務めたことがある。プッシュ型で水や簡易トイレなどを届けた後は、それぞれの避難所でのニーズが異なってくるため、今度はその要望をプル型で聞き取っていく必要がある。

例えば「おむつ」と言っても「大人用」と「子ども用」では違うので、高齢者が多いのか、子どもが多いのか、その避難所の特徴に合わせて支援物資を届けていかなければならない。「屋根を覆うブルーシートを」とリクエストの電話がかかってきて「既に配送したはずなのにな」と思いつつも再度送ったら、結局ブルーシートが倍届いた、といったことも電話応対では起こりうる。そこで、各避難所にタブレットを配り、電話やファクスではなくタブレットから必要な物資を注文するシステムを取り入れることになったのが熊本地震である。デジタル機器を本格的に避難所で使い始めようとした一例だったと思う。

その後も各地域で実証実験などが積み重ねられ、防災訓練でマイナンバーカードを活用する事例なども出てきた。被災した地域では高齢者らが一人自宅で取り残されていることを防ぐため、一軒一軒訪ね歩いては「○○さん、いますか。大丈夫ですか」と消防団などが声をかけて回っていた。

しかし、その最中に余震が来ることもある。避難が終了したかどうかを確認するために、マイナンバーカード一つ持って避難所で「ピッ」とかざしておいてもらえれば、どこの避難所に誰が入ったかを確認できる。声かけ運動も重点的に行うことができる。職場で被災した場合、家族バラバラで避難した場合などに安否確認につなげることも可能であろう。避難所の入り口で、紙にペンで名前と住所と電話番号とアレルギーの有無などを記入する手間も省ける。

さらに、通常は診療・薬剤情報・特定健診等情報を閲覧するには、本人がマイナンバーカードによる本人確認をした上で同意した場合に限られるが、災害時は特別措置としてマイナンバーカードによる本人確認ができなくても、診療・薬剤情報・特定健診等情報の閲覧が可能になる制度もある。災害救助法の適用から1週間の措置となっているが、薬を家に置いて避難してきたときでも薬剤情報などを薬剤師に確認してもらえる。

事業者向けには中小企業庁のミラサポplusなどが使われてきたが、「マイ制度ナビ」では個人向けの支援制度を検索できる

自分の飲んでいる薬の名前を全て正確に言える人はほとんどいない。カタカナの長い名前をいくつも覚えておくのは難しい。同じ病気を抑えるものでも、誤った薬を飲んで重篤なケースに陥ることもあり得る。避難所で持ってきた薬を飲み切ってしまったような場合でも、不安を感じずに済むようになる。

また、日々の暮らしのみならず、被災して困ったときに自分に合った支援制度を検索できるサイト「マイ制度ナビ」も本格運用を開始している。

「被災者支援」のメニューから災害を選び、「住まいのこと」「仕事のこと」「医療福祉のこと」「子育て・教育のこと」「おかねのこと」「ごみ・災害ごみのこと」「その他・暮らしに関すること」から知りたい情報を選ぶ。住んでいる市区町村名を選択すると関連する制度が出てくる仕組みだ。２０２２年度内に市区町村の施策情報を追加する予定だ。

被災地では毎日のように新しい情報が出てくる。支援メニューの拡充のニュースであっても、全ての被災者にその最新の情報が行き渡っているとは限らない。私が回った避難所でも、ホワイトボードに前の月のお知らせがそのまま貼られていることなどもあり、アップデートのための貼り替えも容易ではないことを痛感した。だからこそ、最新の情報を、一人ひとりの置かれている立場に寄り添って届けることができる、デジタルの強みを災害対応でも生かしていきたい。

こうした意見交換は、私が大臣のときに被災経験のある自治体からデジ庁へ出向している職員と共に積み重ねてきた。現場を知っている、経験している職員がいることがデジ庁の強みでもあると感じた。そこでデジ庁が関わる防災分野では、現在でも紙などでやりとりされている防災情報のデータ化、関係機関の間でのデータ連携の促進による災害対応のデジタル化を通じて、迅速かつ効果的な災害対応を実現することを目指すこととした。

加えて、ＳＮＳや衛星画像などから得られたビッグデータのＡＩ解析などの新技術の導入・活用促進により、例えば、道路通行止め情報や避難場所の状況など、災害発生後に国民が得ることができる情報の充実・利活用の促進を図り、早めの避難や、避難後の生活改善などにつなげていくこともうたった。台風や線状降水帯等により豪雨災害が頻発化・激甚化しているほか、南海トラフ・首都直下地震等の大規模災害の発生も予想されており、被害の防止・軽減を図るため、効率的・効果的な災害対応を一層促進していく必要がある。富士山噴火シナリオも考えておかねばならない。だからこそ、デジ庁としても防災業務を担う関係省庁と連携を図り防災・減災対策を進める責任を感じていたのである。

そこで、防災情報のデータ連携を実現するためのプラットフォームの構築に向け、内閣府、防災科学技術研究所等と連携し、防災情報の関係省庁や自治体の運用実態を把握するとともに、防災関係者間で共有すべき基本情報等について検討を進めることとし、デジタル防災を強力に推進するために、官民連携による「防災DX官民共創協議会」に参画する民間事業者および地方公共団体の公募を行った。官のみならず民も、国だけでなく自治体にも入ってもらい、英知を集めることが大切だ。災害発生時にこれまでも活用されてきたシステムやアプリがある。こうしたデジタル技術を見える化し、いざというときに使いやすい形に整えておくこと、また自治体側のニーズもヒアリングすることで、防災分野のデジタル化が進むものと期待している。

未来に向かって

「日本はどこまで行きますか？」という問いに対して、プッシュ型への移行、アウトリーチの手法、「私」のための制度が分かる仕組み、そしてそれらを支えるデータ戦略を含めた準公共分野の取り組みなどを紹介してきたが、カバーしておかなければならないトピックは他にもある。

例えば、中小企業のＤＸ化。エンド・ツー・エンドでデジタル完結させることで企業の付加価値をいかに上げていくことができるのか。単なる紙をＰＤＦ化する話ではなくて、受発注から納品、支払いに至るまでＤＸさせるための工夫、生産性向上の仕掛けなど現場の声を聞きながら進めているところである。デジタル庁はデータオーソリティとしてデジタルインボイスの標準化を定めたが、これは日本の成長戦略の根幹にも関わるものになるだろう。さらに、国際的にはＤＦＦＴ（Data Free Flow with Trust：信頼性のある自由なデータ流通）の具体化を日本がリードする責任がある。

また、メタバースやＷｅｂ３の議論も国内外で熱を帯びている。メタバース演説会では妊婦さんや小さなお子さんも参加してくれた。リアルの演説会には出かけにくい人々も、リアルな演説会には行ったことのない人々も、同じ空間に集まってくれたのが印象的だった。

私はメタバースのフィットネスジムにも通っているし、まだまだ整備しなければならない論点はあるものの、この空間の可能性も信じている。さらにデジタルツイン空間で最新のテクノロジーの実験もできるだろうし、災害の備えも可能だ。

さらにGAFAMのような巨大なプラットフォーマーの影響力の大きかったWeb2・0の時代からWeb3に展開されていけば、ソフトコンテンツに強みのある日本の出番は多くなるはずだ。DAO（分散型自立組織）やNFT（非代替性トークン）など、分散型の組織のあり方やデジタル時代に則した価値の創造は日本の地方との親和性も高く、「みんなで」未来を決めていこうとする新たな兆しも感じる。世界のDXの流れは、日本に大きなチャンスをもたらすものでもある。

「日本のデジタル化は遅れているのかな」と萎縮することなく、目標に向かって一つずつ丁寧に確実に施策を積み上げていくこと、そして果敢に新しいことに挑戦していくこと、今はその両方を同時に行っている最中である。過渡期でもあり、産みの苦しみの段階はまだしばらく続くだろうが、方針も計画もだいぶ具体的なものになっているのは実感いただけたと思う。そしてこれらが完成すれば、他の国のモデルとなって輸出しうるコンセプトにもなることに気づかれたと思う。

これらのプロジェクトはデジ庁だけで進めるものではない。関係省庁と連携して、自治体も含めて、経済界にも加わってもらい、そして何より一人ひとりが意識を持って「みんなで」「一緒に」進めることが大事なのだ。

あとがき

本書を執筆中にも、日本のＤＸ、デジタル庁の施策共に多くの進展があった。常に動き続ける分野だからこそ、その原点となる部分を描くのが本書の目的であると考え、筆を進めてきたつもりだ。それぞれの現場で独自にデジタル化を進めてきたからこそ、そして先進国だからこその難しさも正直にお伝えさせていただいた。デジタル庁を手放しに褒め称えるつもりはないが、今までの状況を一つひとつ丁寧に整理し、基盤を整えていくには、胆力も必要だし、一定の時間もかかる。時代に即して迅速に判断し、結果を出していくことも重要だ。アーリーハーベストを求める気持ちもわかるし、長期、短期両輪で動かしていかなければならないのも事実である。しかし、日本全体のデジタル化を行うには土台がしっかりとしていなければ、上に何を加えても崩れてしまう。そのことを受け止め、着実に歩みを進めていることにも目を向けてもらえたらと思っている。

大臣としての私を支えてくれた人は数知れない。全ての方のお名前を挙げられないのを申し訳なく思うが、デジタル、行政改革、規制改革、サイバーセキュリティ、個人情報保護、ＰＰＰ／ＰＦＩと多くの担務に一緒にあたってくれた各省庁全ての方にお礼を伝えたい。そしてなによりも、盤石な体制でサポートしてくれた大臣室があってこその毎日であったことにも触れておきたい。

IT室時代からデジタル化を最前線で進めてきた大臣室長には関係省庁、庁内共に課題への答えをしっかり出すことに注力いただいた。初代平井大臣時代から大臣室を築いてきた秘書官が細やかに仕事を進めてくれたお陰で、国内外の出張でも成果を確実に上げることができた。行革、規制改革と内閣府担当の秘書官の活躍が、デジタル改革のスピードをさらに上げることにつながったと思っている。そして経産省からは安定した意思決定に定評がある秘書官が参加してくれて、チームの結束が強まった。メディア対応は広報室に引っ張ってもらいながら、オンライン記者会見も導入。動画、写真撮影と大臣室にプロがいてくれたことで助けられた。連日基調講演やメッセージの収録があったが、原稿作成に関わってくれるスタッフや、日程調整等業務の遂行に不可欠な部分をサポートしてくれるスタッフにも恵まれた。大臣室の環境を整えるために力を貸してくれたメンバー、国会対応にあたってくれたチーム、デジタル監、デジタル審議官、顧問、参与、CxO、シニアエキスパート、グループ長、次長はじめデジタル庁幹部・職員にも感謝を伝えたい。そして各会議で貴重なご提言、アドバイスを下さった有識者の皆様にもお礼を申し上げたい。

そして私が大臣としての役割を果たせるよう地元を守ってくださった後援会、応援団の皆さんの力も大きかった。事務所スタッフ含め全ての人にありがとうを届けたい。

平井卓也・初代デジタル大臣が井戸を掘り、私が基礎工事を担わせていただき、河野太郎デジタル大臣に襷（たすき）をつないだ。これからもデジタル政策に関わる人々が脈々と走り続けることで確実な前進を実現できるはずだ。小林史明副大臣と山田太郎大臣政務官が生み出した成果は、デジタル庁の歴史に深く刻まれていると確信している。

本書をまとめるにあたっては前沢裕文さんに助言をいただき、日経クロストレンド編集長の佐藤央明さんにドラフトを読み込んでいただいたことに感謝している。

この一冊が日本のＤＸに少しでもお役に立つことができればうれしく思う。

２０２３年新春

衆議院議員・第２代デジタル大臣
牧島かれん

著者略歴

衆議院議員・第2代デジタル大臣
牧島かれん　（まきしま・かれん）

1976年11月1日、神奈川県生まれ。2000年、国際基督教大学教養学部社会科学科卒業。01年、米国ジョージワシントン大学ポリティカル・マネージメント大学院修了（修士号取得）、米国エール大学ウィメンズキャンペーンスクール修了。08年、国際基督教大学大学院行政学研究科博士後期課程修了、学術博士号取得（Ph.D）。12年に衆議院議員初当選。内閣府大臣政務官（地方創生・金融・防災担当）などを経て、21年10月に第2代デジタル大臣に就任。内閣府特命担当大臣（規制改革）、行政改革担当大臣として初入閣。22年8月まで務めた。狩猟（わな）免許、野菜ソムリエ、防災士の資格を持つ。

日本はデジタル先進国になれるのか？

2023年2月20日　第1版第1刷発行

著　者　牧島かれん
発行者　杉本昭彦
編　集　佐藤央明（日経クロストレンド）
発　行　株式会社日経BP
発　売　株式会社日経BPマーケティング
〒105-8308　東京都港区虎ノ門4-3-12
https://www.nikkeibp.co.jp/books/
装　丁　中川英祐（Tripleline）
制　作　關根和彦（QuomodoDESIGN）
印刷・製本　大日本印刷株式会社

ISBN978-4-296-20159-4